AIを活用した最速・最良で
クリエイティブな営業プロセス

「The Intelligent Sales《ザ・インテリジェント・セールス》」

セレブリックス営業総合研究所 所長兼セールスエバンジェリスト
今井晶也

SE
SHOEISHA

数ある書籍の中から本書を選んでいただき、ありがとうございます。

この本は、法人営業と生成ＡＩを研究するセレブリックス営業総合研究所が本気で書き綴った「営業のためのＡＩ活用上達本」です。

手に取った今日この瞬間から、あなたにＡＩ営業スピリットを注ぎ込むべく、私たちが現在持っている情報と実験結果を余すところなくまとめました。

この本を手に取ったということは、「ＡＩと営業」というキーワードに、多少なりとも関心をお持ちであると推察します。そんなあなたにまずお伝えしたいことがあります。

次の質問は〝営業職を採用する企業側〟に聞いたものです。

Ｑ：これから採用する人は、生成ＡＩの利用実績や知識があったほうがいいと思いますか？　他の能力や社風はマッチしていることが前提です（特に営業系・マーケ系）。

結果は54・9％の方が生成ＡＩの実績や知識がある人を優遇・歓迎すると答えました。

次に、〝営業担当者側〟に聞いた質問です。

Q：もし転職するとしたら、生成ＡＩ（最新テックツールも含む）を使えたり・学べる環境を希望しますか？（※他の条件はマッチしていることが前提）

結果は74・2％が生成ＡＩやデジタル活用に積極的な企業を優先すると答えました。

この結果を受けても、営業活動における生成ＡＩの活用は他人事だと思いますか？

「業界にもよるよな」と思った方、ちょっと待ってください。

本当にそれで大丈夫ですか？

少しでもドキッとした方は、本書のノウハウやＡＩ活用アイデアが必ずお役に立てると確信しています。

セレブリックス営業総合研究所
（株式会社セレブリックス 執行役員カンパニーＣＭＯ）
今井晶也

まえがき

ある日突然、生成ＡＩは私の前にやって来た

私が最初に生成ＡＩに触れたのは、２０２２年12月23日のことでした。

その日はウェブセミナーの撮影日、ＡＩのアルゴリズムを研究してビジネスを営む株式会社ＡＣＥＳの田村浩一郎社長をお招きして営業対談の収録をしていました。

撮影も無事終わり、今年はどうだった……とか、来年はこうしたい……といった年末らしい雑談をしていると、ふと田村社長が何かを思い出したかのように「そういえば今井さん、ChatGPTはご存じですか？」とスマートフォンを取り出し、簡単なデモンストレーションを始めました。

その時、「凄いな、ここまできたか」と衝撃を受けたことを覚えています。

田村社長と「これの登場で営業の世界も近い将来大きく変わるかもしれないですね」と

意見交換をしたのが、まだわずか1年ほど前のことでした。

とはいえこの時はまだ、気に留めない程度の話だったというのが本音です。そこまで精度が高かったわけではありませんし、営業パーソンの仕事をＡＩが代わりに行うというのは大袈裟だろうと過小評価していたのです。


それから少し時はたち、２０２３年3月にChatGPT-4がリリースされ、状況が一変しました。

生成ＡＩの性能は格段に高まり、ビジネスの世界でも実用性が現実的になったのです。

そうした状況の中、急いで生成ＡＩの知見を持つ有識者の方々にコンタクトをとりました。

生成ＡＩを使いこなす先駆者の皆さんと意見交換をする中で、この分野としっかりと向き合わないとまずい……という危機感を抱き、私の脳内にある非常ベルは強く大きなアラートを鳴らしはじめたのです。

中でも、営業トレーニングアプリを手掛けるＴＡＮＲＥＮ株式会社の佐藤勝彦社長から、生成AIの活用方法やアイデアを紹介された時は、「鈍器で頭を殴られたような」衝撃がありました。

生成AIで実現できる営業の変革は、あまりに可能性に溢れ、未来的でした。生成AIが出す回答、示唆、アドバイスはどれも「プロ顔負け」の営業ノウハウで彩られ、営業支援会社のセレブリックスが26年間こしらえてきた営業のノウハウや秘伝の技術と似たようなアウトプットが、生成AIによっていとも簡単にされていくその様子に、開いた口がふさがらなかったのです。

特に私が出演しているYouTubeの文字起こしをもとに、プロンプトと呼ばれる指示文を駆使して、ChatGPTを「AI今井」として擬人化させたものを見た時は茫然としました。まるで本物の私に営業の相談をしてアドバイスをもらっているかのような精度だったからです。

今だから言えますが、これを見た時は「今井晶也はもういらない」と言われている感じがして、感動3割：ショック7割だったのが本音です。

だって、そうでしょう？

営業のノウハウやデータをビジネスの核にしている私たちにとって、「知財とは何か？」

を突き付けられた瞬間だったのです。心にダメージを負った私は、2日間ほど眠れぬ夜を過ごしました。

2日間のショック期間が長いのか短いのかはさておき、この悶々とした感情の先には、前向きな出口がありました。私の出した結論は、「私がショックを受けようと受けなかろうと、生成ＡＩを活用する営業新時代はいずれやって来るだろう。そうした時に、生成ＡＩの活用方法がわからない企業をサポートする役割が必要なはずだ」ということでした。

生成ＡＩの登場は「検索エンジン以来の発明」「スマートフォンの登場以来の衝撃」などと言われるわけですが、よく考えてみれば、検索エンジンもスマートフォンも、使う人によって活用度合いは天と地ほど違います。

同じ会社に勤める社員同士で比べてみても、検索リテラシーによってリサーチできる情報やアウトプットの精度は異なるのです。

つまり、生成ＡＩも、使いこなせる人とそうでない人の「差」が絶対に生まれるだろうと結論付けました。

むしろ、**生成ＡＩこそ、ＩＴリテラシーや質問力、事前情報の知識量によって、生成**

AIを使えるかどうかの属人性が生まれる領域だと考えたのです。

そうと決まれば、善は急げです。

筆者が在籍する株式会社セレブリックス セールスカンパニーは、主に法人営業のコンサルティングやセールスイネーブルメント（Sales Enablement：営業の仕組みづくり）の支援、営業代行や営業の人材紹介などを行う、セールスエージェンシー（営業活動や営業組織の困りごとを解決する代理事業を営む会社）です。

これまで1万2000を超えるサービスを各企業に代わって売り、またその売り方を考えてきたことで、法人営業や新規営業の成功するパターンや失敗するパターンを形式化して、実績と理論に裏打ちされたメソッドを有しています。

さらには、2023年11月には、「セレブリックス営業総合研究所」という、法人営業と新規営業の調査研究機関も立ち上げ、様々な尺度で営業に関連する情報とデータを持っている会社でもあります。

つまり、営業マニアといってもいいほど、営業のことを愛し、突き詰めている会社なのです。

このように事業の中核を「営業を支援すること」に尖《とが》らせている私たちが、営業と生成AIの未来を探求しないわけにはいかないのです。

営業支援会社の誇りと使命を胸に、生成AIを活用して営業活動やセールスプロセスの支援をするべきだと「肚決め」しました。

そこからは疾風のような決断と判断を行いました。

まず、私の役割（時間の遣い方）を見直しました。最高マーケティング責任者・新規事業開発・副カンパニー長とマルチな仕事を展開していた私は、その役割の半分を返納する形で、AIタスクフォースという生成AIと営業を研究するプロジェクトに充てました。

柔軟な発想を持つ若いメンバーにタスクフォースの運営を任せることも考えましたが、経営ボードに参画するメンバーで生成AIに明るい人間がいないことは、中期経営を計画する上でのリスクのひとつになると判断したからです。

かくして、衝撃と共に生成AIの研究をスタートした私が、今このように生成AIの魅力に心を弾ませ、営業の新たな可能性を信じて一冊の本にまとめようとしています。

なかなかどうして、世の中はやってみないとわからないことに溢れているようです。

「生成AI活用普及協会」とは？

生成AIの活用における実証実験や発信活動を続ける中で、一般社団法人 生成AI活用普及協会（GUGA）と出会いました。

GUGAは、生成AIを社会に実装し、産業の再構築を目指す一般社団法人です。その第一歩として、生成AI活用スキルの習得・可視化を推進するべく、資格試験「生成AIパスポート」を提供しています。

生成AIは、職業によっても取り入れやすさが異なります。職業によっては、生成AIの知識を装着すれば、日常の業務を変革させるインパクトがあることでしょう。「営業」という仕事は、登場人物が必ず2人以上になるコミュニケーション職の代表のような職業です。

仮に生成AIの知識やテクニックだけを知っていたとしても、営業職や営業活動への理解、何よりお客様の気持ちに寄り添うコミュニケーションができなければ、生成ＡＩを活用する恩恵を受けることはできません。

場合によっては、生成ＡＩがアウトプットする誤った知識を装着してしまうことで、お客様の購買体験を悪化させるリスクすら秘めているのです（この辺りについては本書の中で詳しく解説しています）。

そうした中で、私の持つ法人営業・新規営業という専門知識と、生成ＡＩの「活用を普及させる」というＧＵＧＡの思想はとても相性がいいものでした。

現在は私もＧＵＧＡの協議員に加えていただき、営業分野での生成ＡＩ活用の普及を推進しています。

ＧＵＧＡと私を引き合わせてくださいました、Cynthialy株式会社の國本知里さん（ＧＵＧＡ協議員）に、この場をお借りしてお礼申し上げます。

生成ＡＩは本当に営業の仕事を奪うのか？

さて、本書を読み進めていただく前の最後に、多くの営業職が不安に感じる「問い」に私なりに答えておきたいと思います。

結論としては、**現段階で即座にＡＩが営業パーソンに取って代わるという考えは時期尚早**と考えています。

お客様も全員ＡＩに変わるのであればともかく、「お客様は機械や自動販売機からモノを買うのではない、人から買うのである」という言葉が頭をよぎります。

この傾向は、法人営業や金額の大きな大型取引になればなるほど強まります。

特にお客様（購買者）にとって、新規の取引先から新規の商品・サービスを購入する場合は尚更です。

お客様になったつもりで、購買を進める想像をしてみましょう。

あなたが購買の推進担当者だった場合に、（導入に向けた）稟議書を作成するプロセスで、「生成ＡＩがA社の商品がマッチングすると回答したため導入する」と、馬鹿正直に書けるでしょうか。

現状ではとても書けませんよね。

稟議過程で上席から「ちゃんと話は聞いたのか？　他の会社の製品も比較検討したのか？」と問いただされるのが関の山でしょう。ＡＩ任せの稟議書のせいで「仕事のできないヤツだ」と負のレッテルを貼られたら、たまったものではありません。

加えて、営業とお客様の人間関係や信頼関係によって、購買活動においてもお客様側の「感情」や「気持ち」が入るものです。営業と購買活動において、１００％合理的な判断だけで商談が進むかというとそうではありません。時には「熱意」や「誠意」に胸が打たれて、購買の意思決定をするということがあるのです。

完璧な商品やサービスというものには、なかなか巡り合うことができません。うまくいくかどうか、保証された未来も存在しません。

そうした中で意思決定の動機になるスイッチは、「この営業に信じて頼ろう」という精神的なエネルギーだったりするのです。つまり、どれだけ正しそうなことを言っていても、ロボットや生成ＡＩの提案だけで意思決定をする可能性は、現段階では低いといわざるを得ません。

一方で、セールスプロセスや営業周辺の業務には、人が遂行しなくてもよい仕事はたくさんありますし、業務遂行スキルによって、作業時間にムラが発生しているのも事実です。会議への参加、議事録の作成、営業活動の報告やレポート、提案書の作成、商談の準備、その他提出物など、数え上げたらキリがありません。こうした**営業付帯業務を生成AIで短縮化・自動化することができれば、営業生産性は間違いなく高まります**。

また、人が実施したほうが精度が高い仕事であっても、人の実行パフォーマンスにはムラが生じます。

夜遅くにマネージャーに相談した質問の回答は、疲労した状況の中でのやっつけな回答が返ってくるかもしれません。

相手のタスクが多い環境下での相談事項は回答がタイムリーではなかったり、場合によっては気分を害されることがあるかもしれません。

このように、これまで同期環境（一つずつ進めなければいけなかったこと）を生成ＡＩを活用することで、**営業が知りたい内容を、知りたいタイミングで、相手の状況に左右されることなく取り組めるようになるといえばどう感じますか？**

営業活動の付帯業務の非同期化（同時進行）こそ、生成ＡＩによって受けられる恩恵のひとつだと考えます。

これによって、これまでの営業活動におけるスケジュールの組み方が、一つひとつのタスク処理の世界線から、お客様と向き合うセールスピュアタイム以外は同時進行という世界線が存在するのです。

POINT

- 営業業務上の効率はあっても、お客様との人間関係に効率というものは存在しない
- ただしＡＩを利用できる人が、ＡＩを利用できない人の仕事を奪っていくという世界は現実的にあり得る

本書の扱い

私は生成ＡＩのサービスに対して優劣をつけたり、評価を行う立場にはありません。

したがいまして本書は、特定の生成ＡＩの利用を推奨したり、生成ＡＩアルゴリズムや仕様について言及することはありません。生成ＡＩのサービスや具体的仕様手順が知りたい方は、ＷＥＢや動画、書店にならぶ解説書をご覧ください。

本書に登場する参考例、プロンプトは理解や活用を効率的に促すためのサンプルであり、すべての生成ＡＩサービスで同じように作動するか、比較検証や実証実験を行ったものではありません。利用する生成ＡＩサービスによって、生成ＡＩの回答内容や傾向は異なる可能性があります。

また、生成ＡＩが動画・画像・音声・テキストと多岐にわたるクリエイションやコンテンツを生成できるサービスやアプリケーションがある中で、**本書で解説する生成ＡＩは、テキストの生成という点を中心に解説**しています。

理由として、本書をお読みになる営業職・営業関連職の対象は、法人営業と新規営業と、対象範囲を広くしています。したがって、動画や画像を生成する必要のない営業担当者が一定以上いると考えたためです。

本書で目指していることは、**営業活動のプロセスを生成AIやデジタルを活用することで、インテリジェント（知性的）でスマートな営業活動を実行するためのアドバイスを行うこと**です。

いわゆる、3K営業（勘・経験・根性）といった旧式のセールスプロセスをスマートに磨き上げるための、生成AIの考え方や新しいセールスプロセスの設計を目指した「営業技術や営業知識」に関する書籍です。

また、筆者は法人営業と新規営業を研究するセールスエバンジェリスト（営業モデルの研究発明家）です。本書で語られることの多くは、法人営業の直販を中心とした景色の中で物事が語られることが基本です。

ただし、個人向けの営業や、官公庁向けの営業、代理店などのパートナー協力の営業活動でも転用できることは多くあると考えます。

目次

第3章

知的でスマートな「セールスプロセス」のデザイン

第4章 生成AIから「欲しい回答」を引き出すポイント

第5章 営業組織で「インテリジェントセールス」を普遍化するために

第6章

「先駆者に学ぶ」インテリジェントセールスプロセス

第7章

人間らしさと生成AI

ブックデザイン　山之口正和＋齋藤友貴（ＯＫＩＫＡＴＡ）
本文ＤＴＰ　有限会社エヴリ・シンク

第1章

「AIパフォーマー」の誕生

２０２３年は「生成ＡＩ元年」といっても大袈裟ではありませんでした。

私たちのビジネスを取り巻く環境は生成ＡＩの登場によりいろいろな場面でゲームチェンジが起きようとしています。

生成ＡＩに正しい指示・問いかけを実行し、適切なコミュニケーションのラリーを繰り返すことで、職人技と呼ばれ続けてきた秘伝のノウハウや知識にアクセスできるようになりました。


いわば、生成ＡＩの登場は「職人芸の民主化」ともいえます。

画像や映像のクリエイションも、文章の生成も、音声も、表やロジックツリーにまとめる作業も、生成ＡＩの活用によって〝まるで未来の世界にワープしたかのようなスピード〟でアウトプットされていきます。

一方で、私たち「営業職」においてはどうでしょう？

営業の世界でも一時的に話題にはなったものの、日常的に生成ＡＩを活用して業務にあたっている人はまだ〝ごくわずか〟です。

企業のセキュリティやコンプライアンスにおいて、ガイドラインや方針が定まっていないというケースもあれば、利用してみたが期待した成果やアウトプットが出てこないことで、習慣になる前に取りやめてしまったというケースもあるでしょう。

しかし最も多いのが「自分の仕事には必要ないと思っている」という情報遮断です。

私たちが受け止めなければいけないのは、生成ＡＩを活用したセールスプロセスを築き上げることに今取り組むことでビジネスにおける先行者利益を得られるのか？　あるいは、現段階で取り組まないとすると未来の競争力において何を失うことになるのか？　ということになります。

未来から逆算して今を見据えた時に、生成ＡＩとどう向き合うべきか判断が必要です。

そのためにもまずは、私たちを取り巻く生成ＡＩと営業の実態を正しく把握しておく必要があるのです。

生成ＡＩと「インテリジェントセールス」

まずは生成ＡＩの基本的な概念や、生成ＡＩサービスを展開する主要プレイヤーを押さえましょう。

生成ＡＩとは

生成ＡＩとは、ジェネレイティブＡＩとも呼ばれる人工知能の一種です。テキスト・音声・動画・画像・コードなど様々なコンテンツを生成できるＡＩを指します。従来のチャットボットのように、単調な質疑に応答するだけでなく、物語や作品・アイデアの提案に至るまで、クリエイティブな成果物を出力できるのが特徴です。生成ＡＩの活用はビジネスシーンにおいて、業務効率化や壁打ち相手、アイデア創出など、幅広い活用シーンと多くのメリットが期待できる技術です。

なお、私たちがビジネスシーンで触れることのできる生成ＡＩは、以下のような場面で利用することが考えられます。

- 特定のコンテンツ（動画やテキスト等）を作成するために利用する
- 従来のSaaSやＩＣＴサービスに生成ＡＩが実装された（組み込まれた）ものを利用する

また本書では、**このような生成ＡＩを営業プロセスに取り入れた営業活動のことを、知的でスマートな営業活動という親しみをこめて「インテリジェントセールス」**と呼び、**営業活動に生成ＡＩを駆使した活動を行う人を「（セールス）ＡＩパフォーマー」**と呼んでいます。

本書の冒頭【本書の扱い】でも記した通り、ＡＩパフォーマーが利用する生成ＡＩは活用場面が多く、想像がしやすいテキスト系の生成ＡＩをイメージしながら解説をしています。

次に、生成ＡＩサービスを展開する主要プレイヤーの紹介です。

２０２４年２月末時点のテキスト系生成ＡＩの主要プレイヤーは、次の通りです。

1 | ChatGPT（チャットジーピーティー）

ChatGPTとは、ユーザーが入力した質問に対して、自然な対話形式でAIがテキスト等を生成するサービスで、世界中に生成AIのムーブメントを引き起こした立役者です。

元々はテキスト系の生成AIを得意としていましたが、短期間でバージョンアップや進化を繰り返し、2023年12月の段階ではイラストなどの画像も生成可能です（DALL-E 3というアプリを利用）。

2 | Copilot（コパイロット）

Copilotは、Microsoftが提供する最新の検索エンジンで、以前はBingとして知られていました。

ChatGPT-4を搭載し、ユーザーは一部無料でGPT-4の恩恵を受けられることから、ユーザー数が増えつつあります。

3 | Copilot for Microsoft 365

Microsoft 365 Copilotとは、Excel、Word、PowerPoint、Teams、Outlookなどの Microsoftの基本シリーズに生成AIが実装されたものです。
Wordで生成したテキストを基にPowerPointのスライドを生成するなど、Microsoftシリーズ内での互換性が話題を呼んでいます。

4 | Gemini（ジェミニ）

Geminiは、Googleが提供するAIチャットサービスで、かつてはGoogle Bardとして知られていました。

このチャットサービスの名称を「Bard」から使用している大規模言語モデル「Gemini」へと変更することにより、Googleはその核心技術である大規模言語モデルを中心にしたブランド認知と理解の向上を図っています。

生成ＡＩを利用していない、禁止しているのは「72・1%」

セレブリックス営業総合研究所では、２０２３年12月に生成ＡＩと営業における利用実態調査を営業職・営業関連職１０００人に対して実施しました。

これまでも、生成ＡＩの利用率や実態調査をしたレポートはありましたが、生成ＡＩが話題になってからちょうど1年たった「現在の状況」を正確に知っておくためです。

また、営業の実態調査においても企業の規模、所属業界、在籍する都道府県別に傾向が読み解けるように、様々な名義尺度（カテゴリ）で調査を実施しています。

なお、今回の調査研究の諸条件は次の通りで、２０２３年12月に実施しました。

営業における生成ＡＩ活用の実態調査レポート セレブリックス営業総合研究所調査

【回答年齢：23〜59歳】

■年代分布　20代：２４０人　30代：２６１人　40代：２５９人　50代：２５９人

【属性】営業職（B to B）／所属の従業員規模、業種問わず／居住地全国／性別問わず

まず、企業規模や業界などのカテゴリを分けずに、１０００人に聞いた生成ＡＩの実態調査の結果として、〈生成ＡＩツールやサービスは導入・使用していない〉が44％で〈全社的に生成ＡＩ活用の許可が出ていない／禁止されている〉が28・１％と、**生成ＡＩを利用していないと答えた営業職が72・1％いる**ことが把握できました（【図１－１】参照）。

一方で〈全社的に生成ＡＩツールやサービスを導入・使用している〉と答えた割合は11％に留まりました。

実はこの数字、筆者が8月にX（旧名Twitter）で営業職にアンケートを取った際に、「日常的に生成ＡＩを活用しているか？」と聞いた時も11％と同じ結果だったのです。

つまり、**営業職における生成ＡＩは半年近くたっても（２０２３年12月末現在）、まったく利用が進捗していない**ことがわかります。

なお、従業員規模別に〈全社的に生成ＡＩツールやサービスを導入・使用している〉と答えた属性を比べてみると、従業員１～50人で６・４％、51～５００人で10・２％、５０１～１０００人で12・８％、１００１人以上で14・５％と、意外にも生成ＡＩ活用人

図1-1　営業における生成AIの実態調査レポート

社内で生成AIは導入されていますか？	Record Count
1. 生成AIツールやサービスは導入・使用していない	448
2. 全社的に生成AI活用の許可が出ていない／禁止されている	286
3. 一部の人や部門のみ、生成AIツールやサービスを導入・使用している	173
4. 全社的に生成AIツールやサービス導入／使用している	112

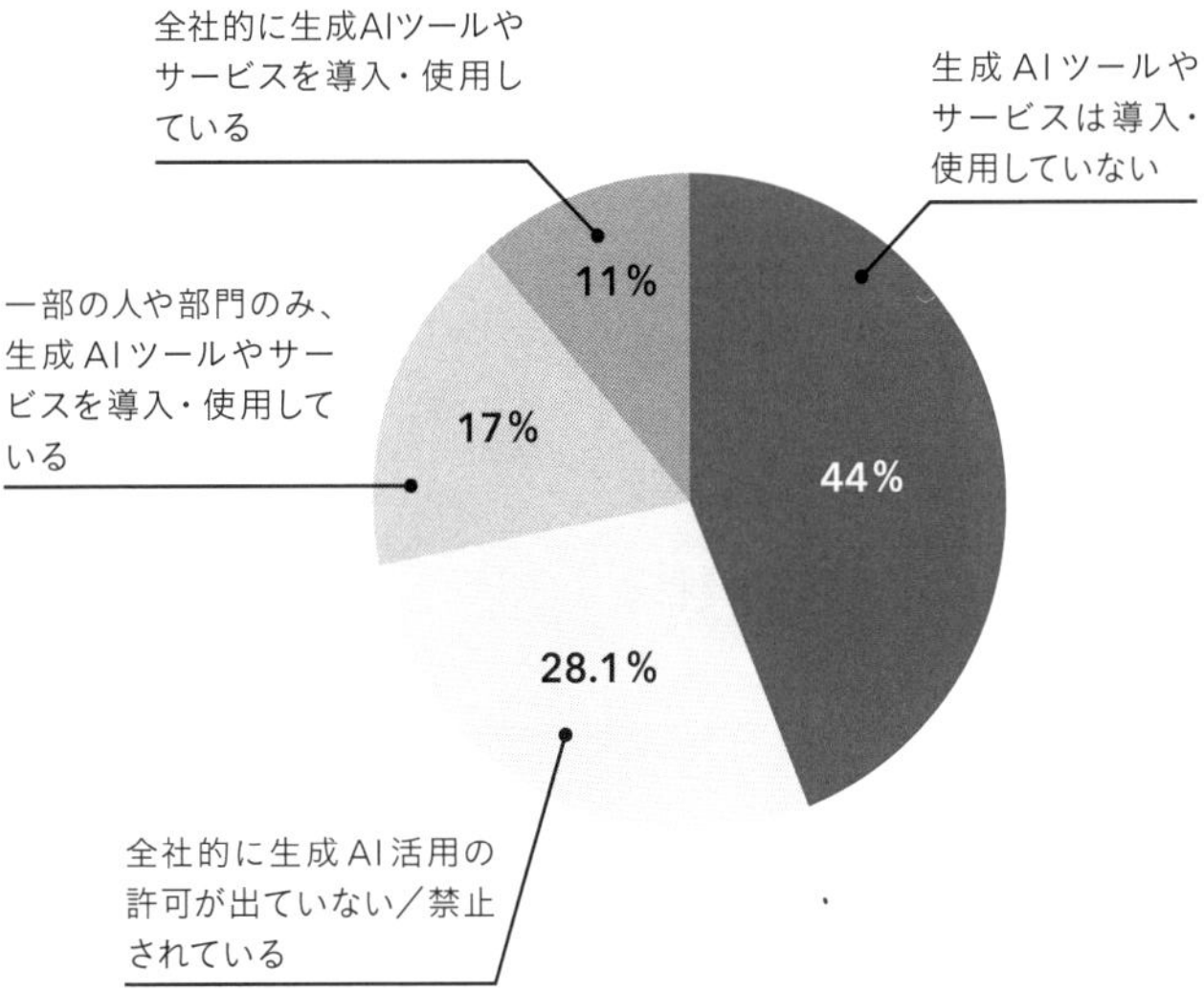

引用：セレブリックス営業総合研究所調査

口としては、大手企業や中堅企業に所属する人が多かったのは新たな発見でした。

またすべての従業員セグメントにおいて、〈使用していない／禁止されている〉の合計が過半数を超える結果となりました。

続いて、生成ＡＩを導入している企業に対して「社内で生成ＡＩが導入された目的で当てはまるものをすべて選んでください」という質問に対して得られた回答が【図１－２】となります。

このデータはあくまで企業が生成ＡＩを導入した目的です（個人利用としての導入目的とは異なる）。

【図１－２】のように生成ＡＩを利用する目的は、作業の生産性や効率の向上が主であることがわかります。この背景には、単純な業務効率の向上だけでなく、来る労働生産人口の低下、そしてすでに始まっている「営業職採用の難易度向上」という時代環境の影響があり、**少ない人数でもパフォーマンスを落とさない体制を試行錯誤している裏付け**と考えてよいでしょう。

また、データドリブン経営やデータドリブンセールスの延長で、生成ＡＩを活用し、データをもとに最適な意思決定をしたいという目的も目立ちました。

図1-2

社内で生成AIが導入された目的で当てはまるものをすべて選んでください	数	シェア
①作業の生産性や作業効率を上げるため	152	24%
②人件費を抑えるため	60	10%
③データを分析し、より良い決定を下すため	117	19%
④新しいビジネスチャンスを見つけるため	75	12%
⑤顧客へのサービス品質や提供価値を向上させるため	74	12%
⑥人為的なミスを減らすため	50	8%
⑦具体的なシーンは決まっていないが自社での活用方法を模索するため	42	7%
⑧コンプライアンス、セキュリティ、ガバナンスを強化するため	25	4%
⑨その他	2	0%
⑩わからない	30	5%
合計	627	100%

加えて、新しいビジネスチャンスを模索するという狙いや顧客体験やサービス品質向上を目指すといった、ビジネス開発やサービスのアップデートとしても利活用が検討されていることがわかります。

次に【図1－3】を解説します。この図は「生成ＡＩを活用したことで、会社のコスト削減・業務効率化はできましたか？」という質問の回答です。

こちらも個人単位ではなく、会社・組織単位での質問です。

図1-3

生成AIを活用したことで、会社のコスト削減・業務効率化はできましたか？	数	シェア
コスト削減・業務効率化できた	53	19%
どちらかといえばコスト削減・業務効率化できた	98	34%
わからない	72	25%
どちらかといえばコスト削減・業務効率化できていない	30	11%
コスト削減・業務効率化できていない	32	11%
合計	285	100%

〈コスト削減・業務効率化できた〉と回答したのが19％、〈どちらかといえばコスト削減・業務効率化できた〉という回答が34％、つまり、生成ＡＩの導入で一定のコストカットや業務改善が見込めている割合が53％という結果となりました。このことから**過半数以上の企業で一定の成果が出ている**ことがわかりますが、まだその数は多いとはいえないようです。〈わからない〉と答えている層が25％いることから、現段階で実証実験中や生成ＡＩ活用の知見を溜めている途中の企業が多いこともうかがえます。

一方で、22％の企業は生成ＡＩの活用によっても満足のいく成果が出ていないことがわかります。

生成ＡＩを導入しても、習慣になる前にあきらめてしまったり、リテラシーや習熟度合いによって生成ＡＩにアウトプットさせる情報が異なることが、この

図1-4

コスト削減・業務効率化ができたと言っている人の従業員規模別	数	シェア
①1~50人	21	14%
②51~500人	49	32%
③501~1000人	22	15%
④1000人以上	59	39%
合計	151	100%

ような結果に影響を及ぼしている可能性があります。

　ではコストカットや業務改善が見込めた企業に、従業員規模と相関関係があるかどうかも確かめましょう。

【図1－4】では、先ほどのコスト削減や業務効率化が〈どちらかといえばできた〉以上の、ポジティブ回答をした企業を対象に、従業員規模別に割合を出してみました。

　コスト削減の影響結果は、従業員数に比例した結果とはなりませんでした。

　しかしご覧の通り、1000人以上の大手企業群での数、シェア率が高いことがわかります。営業職の人数が多くなればなるほど、標準化された仕組みや手順が生み出される恩恵を受けやすいことがわかります。

　例えば1人当たりの業務効率が改善され、商談以外の業務時間が1週間で2時間削減されるだけでも、1か月で営業職

図1-5

生成AIを活用したことで、会社の営業実績・売上は向上しましたか？	数	シェア
営業実績・売上が向上した	46	16%
どちらかといえば営業実績・売上が向上した	96	34%
変わらない	62	22%
どちらかといえば営業実績・売上が減少した	21	7%
営業実績・売上が減少した	2	1%
わからない	58	20%
合計	285	100%

1000人×4週間×2時間＝8000時間短縮されることになるわけですから、そのインパクトは大きくなり、コスト削減を体感できることでしょう。

同じように、【図1－5】では「生成ＡＩを活用したことで、会社の営業実績・売上は向上しましたか？」という質問をしました。こちらも個人単位ではなく、会社・組織単位での質問です。

〈営業実績・売上が向上した〉と回答したのが16％、〈どちらかといえば営業実績・売上が向上した〉という回答が34％、つまり、生成ＡＩの導入でトップラインの向上が見込めている割合が50％という結果となりました。【図1－3】の「コスト削減の実績」データと比較した場合、3ポイント下がる結果となり、コスト削減と比較して「変わらない」と答えた層の割合が増えたことがわかります。

いずれにしても、生成ＡＩを活用した「インテリジェントセールス」における、実績作りにはまだ多くの企業が課題を抱えていることが、これらのアンケートからわかります。

なぜ、社内で生成ＡＩを導入しないのか？

続いては、視点を変えたリサーチ結果を見てみましょう。

話題にはなり続けている生成ＡＩが、時を経てもなかなか導入が進んでいかない理由をひもといていきます。

【図１‐６】では「社内で生成ＡＩを導入していない理由・生成ＡＩへの懸念として当てはまるものをすべて選んでください」という質問の回答を可視化しています。

〈わからない〉以外の回答で目立ったのが、〈そもそも求めていない、必要ではない〉で24％と他と比べて高い結果を示しました。この結果にはいくつかの仮説が想定されます。

①生成ＡＩに対する理解や知識が乏しい

②生成ＡＩのような未知なるものへの不安や不信、ある種の違和感を抱いている

図1-6

社内で生成AIを導入していない理由・生成AIへの懸念として当てはまるものをすべて選んでください	数	シェア
金額が高い、予算が確保できない	82	8%
使えるかが不明、不安、使いこなせない	68	7%
実際にどんな業務や作業で使えるかイメージが湧かない	61	6%
新しい技術に対して抵抗を感じる、不安がある	24	2%
生成AIが出した結果を正しく使えるか不安、生成AIの結果を信用しきれない	49	5%
プライバシーやセキュリティの懸念が払拭されない	46	5%
生成AI活用に関連する法律や規制についての知識が足りない	57	6%
生成AIを導入又は活用するための協力・提供会社を見つけるのが難しい	45	5%
そもそも求めていない、必要ではない	236	24%
その他	1	0%
わからない	306	31%
合計	975	100%

③うちの業界は特別だから生成ＡＩ等の情報に頼った営業活動なんてできないと決めつけている

次に、ここからピックアップしたリサーチ結果は「営業担当者個人」に向けた質問です。

「あなたが業務で生成ＡＩを活用する際の目的で当てはまるものをすべて選んでください」という質問には【図１－７】のような回答結果が集まりました（※複

図1-7

あなたが業務で生成AIを活用する際の目的で当てはまるものをすべて選んでください	数	シェア
ターゲット選定	94	20%
営業リスト作成（関数・gas）	157	34%
競合・市場・環境の分析	86	18%
仮説設定・戦略策定	51	11%
文章作成（手紙・メール・トークスクリプト・その他）	74	16%
その他	3	1%
合計	465	100%

数回答可）。

回答として目立ったのが、〈営業リスト作成〉で34%、〈ターゲット選定〉で20%という結果でした。**個別商談での利用よりも、顧客戦略や戦術に関わる場面で利用していることが多い**ようです。

ターゲットリストを作成するためのターゲティングとリストアップで54%のシェアを示すことから、営業によって属人性が発揮されやすかったり、時間がかかるために効率化を図りたいという狙いがあるかもしれません。

最後にピックアップしたリサーチ結果も、営業担当者個人向けのものです。

「あなたが業務で生成AIを活用する上で特に課題だと思うものをすべて選んでください」という質問には【図1-8】のような回答結果が集まりました（※複数

図1-8

あなたが業務で生成AIを活用する上で特に課題だと思うものをすべて選んでください	数	シェア
金額が高い	166	11%
使えるかが不明、不安、使いこなせない	209	13%
実際にどんな業務や作業で使えるかイメージが湧かない	179	11%
新しい技術に対して抵抗を感じる、不安がある	81	5%
生成AIが出した結果を正しく使えるか不安、生成AIの結果を信用しきれない	129	8%
プライバシーやセキュリティの懸念が払拭されない	136	9%
生成AI活用に関連する法律や規制についての知識が足りない	111	7%
そもそも求めていない、必要ではない	182	12%
その他	2	0%
わからない	367	23%
合計	1562	100%

回答可）。

個人の利用であっても、生成ＡＩを利用する上での課題は〈わからない〉が最も多く23％、〈そもそも求めていない、必要ではない〉で12％という結果でした。営業担当者からした場合、新しいことを覚えたり、仕事が一定増えることへの拒否感というものが考えられます。

〈使えるかどうか不安〉〈イメージが沸かない〉〈わからない〉といった、生成ＡＩの理解や生成ＡＩでできることへのイメージ不足の回答が合計で47％のシェアを占めています。

また、〈新しい技術への抵抗〉〈生成ＡＩを信用しきれない〉といった、生成ＡＩそのものを懐疑的にみる回答も13％ありました。

以上、まずは営業組織や営業活動を取り巻く「生成ＡＩの実態」の情報提供となります。

生成ＡＩを使いこなせる「営業パーソン」になれ！

これまで見てきた結果から、生成ＡＩが何となく有益で、使いこなすことができればそのポテンシャルは大きいという期待を抱いている人は多いはずなのに、日常的に使いこなせている人はごくわずかであるということがわかります。

しかし、ご覧いただいた通り、**すでにコストを削減している企業も、業務改善に繋げた実績も、売上が向上した事例も登場しているのは確かな事実**です。

加えて、セールスプロセスに生成ＡＩやデジタル活用を取り入れて、営業活動や顧客体験をスマートにしている企業はすでにあるのです。こちらについては、ぜひ第3章や第6

章をご覧ください。

企業・個人としてAIプレイヤーになるかどうかの意思決定は、あなた次第です。

しかし、少なくとも生成AIを活用して何ができるのか、あなたの営業組織や営業活動、そしてキャリアにどのような影響があるのか、全容を理解しないで判断するのは愚策だと思いませんか？

次の第2章以降では、インテリジェントセールスがもたらすインパクトや可能性を〝お腹いっぱい〟存分にご紹介していきます。

POINT

- 営業組織で生成AIを日常的に利用しているのは11%。しかも半年たっても増えていない
- 生成AIに対する理解不足、イメージ不足によって活用のイメージが湧いていない人が大半である
- 成果を出している企業や人がいる以上、インテリジェントセールスを理解した上で導入や推進の可否を決めるべきである

第2章

「ＡＩスピリット」を手に入れろ

サプリメント。

それは、栄養補助食品とも呼ばれ、栄養成分を補強し、健康の保持や、健康増進および健康管理の目的のために摂取される食品です。

生成AIは営業にとって「サプリメント」といえるかもしれません。

サプリメントはそのバランス、医薬品との併用の組み合わせが悪ければ、健康被害をもたらす可能性があります。これは営業でいえば、生成AIが出す情報を鵜呑みにして、商談で用いてトラブルを起こすという構図に置き換えられます。

サプリメントの注意書きには「主食、主菜、副菜を基本に、食事をバランスよくお召し上がりください」といった文言が記載されています。これは、サプリメントはあくまで〝補うものだ〟という注意喚起ともいえます。営業に置き換えれば、「生成AIで情報を得たり、無駄な作業を短縮できたところで、ビジネスパーソンや営業職としての基礎ができていないとその効き目は期待できませんよ」と訴えかけているかのようです。

生成AIは、あるだけであなたの望みをなんでも叶えてくれる魔法のランプでも、魔法の杖でもありません。コトが思い通りに運ぶかどうかは、あなた自身の経験や知識、そして教養も必要です。

特に営業活動においては、唯一無二の正解というものは存在しません。売り手サイドで考えた場合、営業が所属する業界、商文化、取り扱い商品によっても、正しい営業についての解釈は変わります。

一方で買い手サイドから見ても、面会者の役職や立場、所属部署、追っている目標、企業規模、エリア、購買傾向によって、お客様が「されたい」と感じる営業は異なります。もっといってしまえば、同じお客様であっても、その日の気分や状態によって、心地いいと感じるコミュニケーションは異なります。

相手がいて初めて成立するのが営業であり、コミュニケーション職です。

私たち営業は、生成ＡＩの示す答えや結果に振り回される側になってはいけません。

私たちが目指すのは、より良い顧客体験と営業活動のために、生成ＡＩを使いこなす側でありたいものです。

生成ＡＩは営業にとって正しい「サプリメント」であるべきなのです。

セールスプロセスの最適化を生成AIで実現する

特に**法人営業・新規営業において成果を出すためには、セールスプロセスを最適化することが必要**です。まず営業の原理原則として、正しい顧客に、正しい課題を設定し、正しい（最適な）提案を行うことができれば、自然と成約率は高まります。

もし、成果が出ていないのであれば、セールスプロセスの過程で、前述のいずれかにバグが発生しているために理想の結果に繋がっていないのか、もしくは目標設定が尖りすぎていて無理が生じている可能性もあります。

いずれにしても、営業活動の成果を最大化させることに向き合うならば、一人のトップセールスが実現するファンタスティックで再現不可能な取り組みよりも、営業パーソン一人ひとりの底上げや、水準を高めるほうが効果的です。

あなたが営業プレイヤーである場合も、（良い意味で）〝ひとくせ〟や〝ふたくせ〟ある再現が難しいトップセールスの技術や技巧を真似するよりも、**営業活動において間違ってい**

ることや無駄なことをなくしていくほうが成果を高める改善サイクルは早くなります。

少し想像してみてください。

トップセールスが表彰された時に対象の方々は口を揃えて「あたりまえのことを徹底しただけです」と答えます。これについて皆さん不思議に思ったことはないでしょうか？「あたりまえのことを続けているだけで、そんなに成果が出るのか？」と。もちろん、あたりまえのことを凡事徹底し、継続することは決して簡単ではありません。

しかし、この話の本質は、**トップセールスの方々が表現する「あたりまえの基準」が、私たち一般人から見た時に「全然あたりまえじゃない、そんなのやれない」という事案のオンパレードになっている**ということです。

なぜならトップセールスの方々が、これまでの仕事の過程の中で乗り越えた試練や課してきたハードルも、やがてそれを攻略することでいつしか習慣になり、結果として「あたりまえ」の基準が爆上がりしているということがあるからです。

このように、成果が出ているトップセールスの習慣を切り取って、トップセールス以外がいきなり真似しようとしても、取り組み自体のハードルが高かったり、長く続けるのが難しいのです。

さらにいえば、お客様との関係性やお客様の機微にわたる反応を察知する観察眼など、セットになる背景や文脈と共にトレース（なぞる・たどる）しないと失敗します。

例えば、トップセールスがお客様とのコミュニケーションの中で、「踏み込んだ質問をすることでお客様の課題をあらわにする」といったシーンもありますが、そのシチュエーションだけ切り取って真似しようとすると、お客様に「いきなり失礼ですね。何であなたにそんなことを言わなければいけないんですか？」と指摘されかねません。まさに手法だけを切り取った失敗パターンの典型例です。

さて、前置きが少し長くなりましたが、営業が生成ＡＩを活用するメリットは、トップセールスを量産するマシーンとしての使い方ではありません。

セールスプロセスにおける「間違ったこと」「時間がかかること」といった、負の要素を減らすことに貢献することです。ここを間違えずに利用することができれば、文字通り「有効」活用をすることができます。

もちろん、営業活動における「負」が減れば減るほど、結果として業績が向上するのはいうまでもありません。

生成AIを営業活動で利用するメリット

セールスプロセスの中で、具体的に生成AIを通して得られる恩恵は次の通りです。

1 営業活動周辺における知識の向上
2 営業活動の効率化
3 営業活動の品質アップ
4 営業マネジメントの効率化
5 営業マネジメントの品質アップ
6 戦略や戦術をつくるための分析効率向上
7 再現性のある営業活動の推進

ひとつずつ解説をしていきます。

1　営業活動周辺における知識の向上

生成ＡＩは、営業活動を有利に進めるための情報収集とその情報をあなたの知識としてインストールするガイド役となります。

そもそも優秀な営業パーソンと呼ばれている人で「情報・知識」を活用していない人を私は見たことがありませんし、営業は「情報加工業である」といわれるほどに、情報の利活用が成果に強い影響を与えます。

「情報を制するものが営業を制する」という言葉も、決してオーバートークとはいえません。買おうと思っていないお客様を相手にする場合は、態度変容や行動変容に繋がる気づきがお客様には必要です。その引き金となるのが、情報や知識をもとに構築した仮説だったりするのです。

しかし、営業活動を推進しながら精度の高い情報収集や知識装着を同時に行うのは簡単ではありません。特に不特定多数の顧客を持ち、異なる業界や職種を相手にする営業担当者は、お客様の情報収集や知識を備えることに多くの時間を使えていません。

加えて私たちを取り巻く環境は、様々な情報に溢れ、まるで生き物のように日々最新情報が更新されていきます。

生成ＡＩはこうした情報の収集や整理を効率化し、それを知識としてあなたのコレクションにストックしてくれます。

● **自社の業界や自社のサービス周辺の情報収集と知識装着**

自身が扱う商品の提供価値が何で、他社と比べて機能や競争力にどのような違いがあるのかを、生成ＡＩを活用して比較させたり、情報を整理させることができます。

事例や実際に使われているシチュエーション、Before Afterの比較などを生成ＡＩに要約させたり整理させることで、疑似体験したエピソードのように自分の言葉で魅力的に伝えることが可能となります。

● **お客様の業界やお客様の事業に対する情報収集と知識装着**

お客様やお客様企業の周辺情報に対しても、広い知識と「耳寄り情報」を持ち合わせておく必要があります。お客様は「私たちのことをよく調べているな」「この営業はよくわかっているな」と感じた場合に自己開示の量を増やすといわれているからです。

そうした意味では、お客様を起点とした3C（Customer, Competitor, Company）の情報を持ち合わせ、「御社の市場やお客様の傾向と比べると〜」「御社のライバルの動きと比較してみると〜」「御社の理想に対する現在の状況で生まれているギャップは〜」といったように、**比べることのできる情報を持った上で、仮説を確認したり、問いを与えたり、傾聴したり、時に示唆をし啓蒙をする**ということが求められます。

具体例として本書の236ページで事例をご紹介しているのでご確認ください。

2　営業活動の効率化

生成AIを活用する上で、最も想像しやすいのが営業活動の効率化といえるでしょう。

生成AIといっても、実際にはどの企業のサービスやバージョンを利用するかによって、その性能は異なりますが、生成AIは「モノ言う優秀なアシスタント」として、お客様との直接対話以外の業務を代行してくれます。

詳細は後述する第3章で解説しますが、代わりに分析してくれたり、目標達成の相談役として壁打ち相手になってくれたり、文章をあなたに代わって生成してくれたりします。

本書の【まえがき】でも記した通り、効率化を実現する鍵となっているのが非同期化です。**一人の営業担当者がまるで分身したかのように、同時進行で複数の物事を進められるのが非同期の特徴**です。さらに、相手の状態に依存しないので「自分都合で無双状態」になれるのが最高なところです。

例えば「相談」は、従来は上司の様子や顔色を見ながら〝機を窺《うかが》う〟のがセオリーでした。私自身これが本当に苦手でタイミングを誤りよく地雷を踏んだことを覚えています。

また商談準備をしながら非同期で他の作業を行うことも可能です。例えば生成ＡＩに訪問予定企業のＷＥＢサイトやＩＲを要約させる傍らで、既存顧客にお礼メールを送ったり、商談議事録を作成するなど同時進行で仕事を進めることができます。

一人が一つの仕事しかできなかった平面的な時間の進み方から、立体的な仕事の進み方が実現できるようになるのです。

ここでポイントなのは、営業側が主導して質問や指示を出さない限り、生成ＡＩはあなたをアシストすることはできないということです。優秀といってもどこまでも受動的であるため、あなたの表情や雰囲気を察して阿吽《あうん》の呼吸で先回りの行動することはありません。

つまり、**生成ＡＩによるアシスタントが超優秀になるか、満足のいかないスペックになるかは、あなたの指示の出し方次第**ということになります。

図2-1　生成AIで営業活動の効率化が可能に

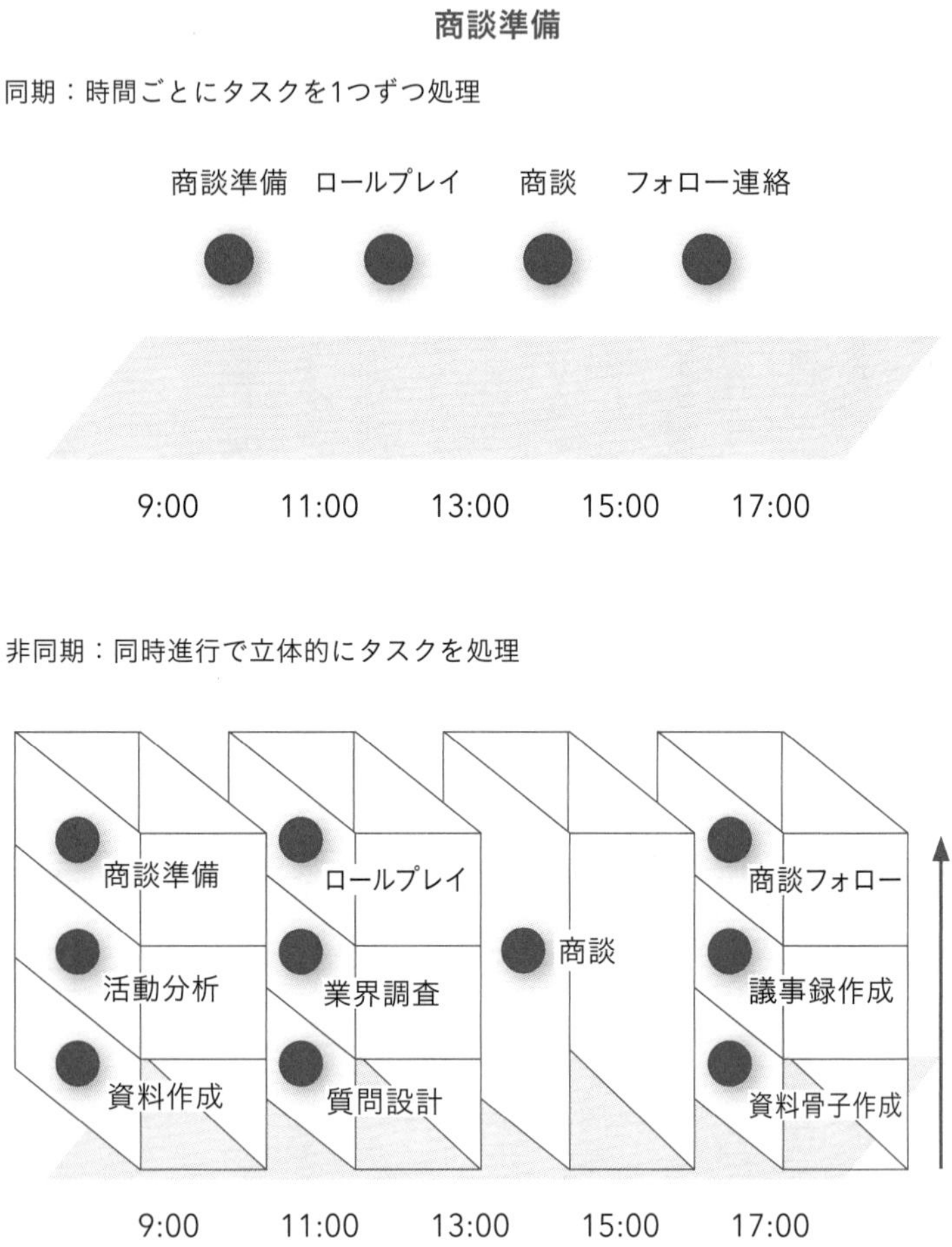

3 営業活動の品質アップ

生成AIを活用すると「営業の質が上がる」と聞くと、あなたはどう思いますか？ もしかしたら「それはさすがに大袈裟、まだ人間の知識や体験が勝るはず」と思うかもしれません。

この意見には賛同しますが、反論を述べるとすれば、「意欲とコンディションを常に100％の状態にできているか」と問われたら、いかがでしょうか？

あなたの営業活動を振り返って、一度胸に手をあてて考えてみていただきたいのです。

■新規の電話や手紙によるコンタクトが、テンプレート訴求になっていたり、あるいは台本なしで出たとこ勝負になっていませんか？

■商談準備には満足に時間が確保でき、企業ごとに個別化された資料やトーク展開、事例紹介などの準備ができていますか？

■準備した商談内容の仮説は、上司や先輩に相談して仮説の精度を高めていますか？

■商談で仮説が外れた際に、仮説を呼び水とした次の質問や代替質問の準備はできていますか？

■初回商談の当日中に、お礼や簡単な議事録、ネクストアクションの依頼はできていますか？　また記憶が鮮明なうちに提案書の骨子や構成は考えられていますか？

いかがでしょう？

これらは一つひとつがお客様の「買わない理由」を減らすために必要な取り組みであり、逆にいえばこれに反する行動をしていたり、してしまうケースがあれば、営業活動の中で「負（マイナス）」をつくっていることになります。

比較するのが「あなたの100％の状態」であれば、確かにまだ人間のほうが高品質なのかもしれませんが、**生成ＡＩは人間のように「疲れない」という利点もある**のです。

もちろん生成ＡＩはすべてを解決してくれる万能マシーンというわけではありませんが、生成ＡＩが6割、7割の満足度のアウトプットを準備してくれ、それを人の手で完成させるというプロセスを作れば、高い品質のビジネスを実現できるのではないでしょうか。

4　営業マネジメントの効率化

生成ＡＩが営業マネジメントをどのように効率化させるかを論じる前に、営業マネジメントのあり方について目線を合わせておきましょう。

営業マネジメントの役割に触れるためにも、まず「営業の役割」を定義します。

セレブリックスでは、組織における営業の役割は「目標を達成すること」と定めています。営利法人の利益目標は、事業部の目標に細分化され、事業部の目標はグループ、チーム、そして個人へと細分化されているため、営業パーソン一人ひとりが目標を達成しないと、組織目標を達成できなくなるためです。

そして営業が「目標を達成すること」を存在意義とするなら、**営業マネジメントの役割は、「営業が目標を達成し続けるための機能となること」**でなければいけません。

では、組織目標を達成させ続けるために、営業マネジメントでは何を機能させるべきなのか。セレブリックスの営業マネジメントメソッドでは、目標達成に導く４つの管理項目を定めています（【図２－２】参照）。

この４つの管理項目に沿ったマネジメントを推進する上で、マネージャーは「ヒトのマネジメント」と「コトのマネジメント」に分類してアプローチをしていきます。

ヒトのマネジメントは、マネジメント対象者（営業メンバー）のWill（意思）や動機に応じ

図2-2　目標達成に導く4つの管理項目

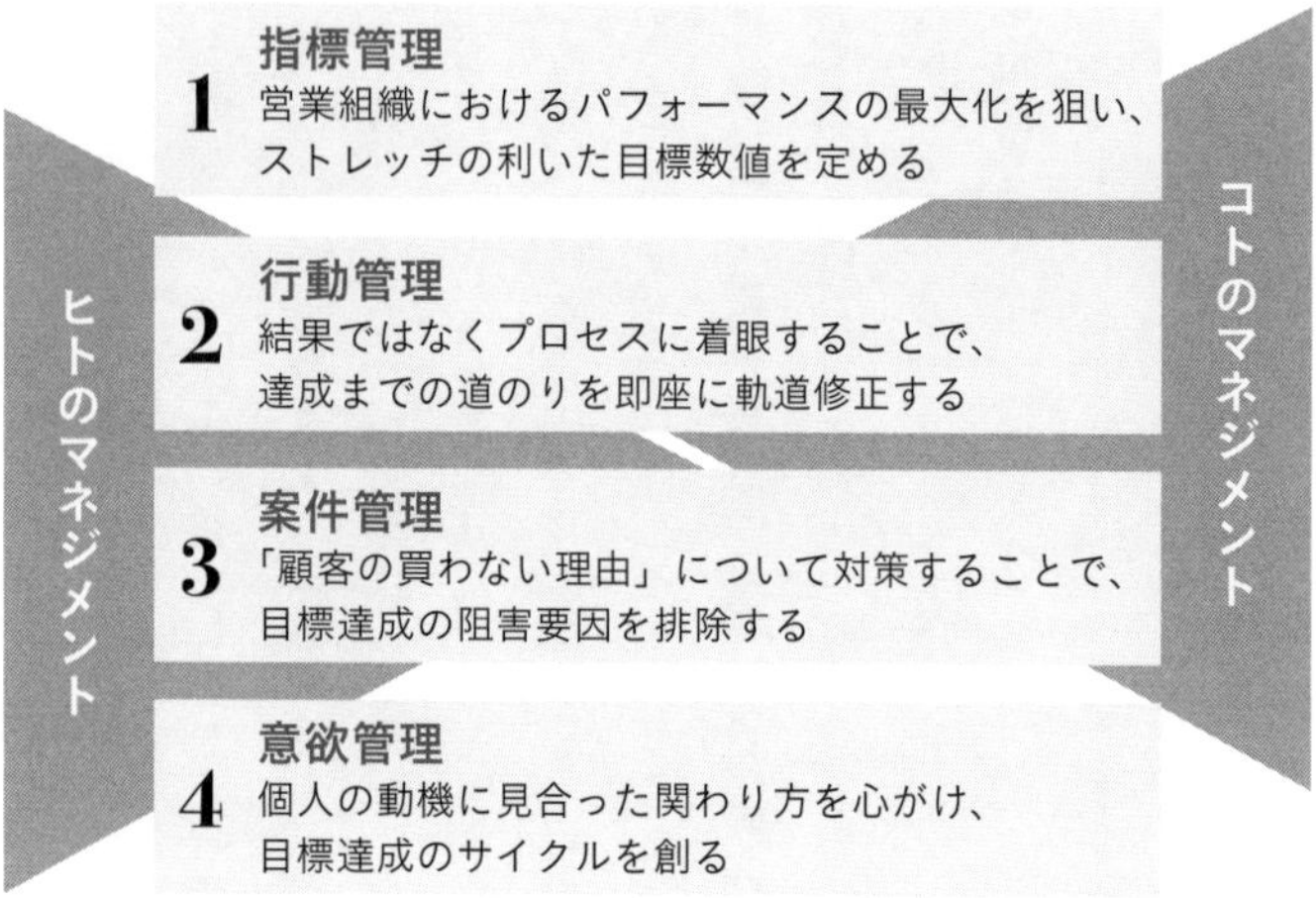
指標管理
1
営業組織におけるパフォーマンスの最大化を狙い、
ストレッチの利いた目標数値を定める
行動管理
2
結果ではなくプロセスに着眼することで、
達成までの道のりを即座に軌道修正する
案件管理
3
「顧客の買わない理由」について対策することで、
目標達成の阻害要因を排除する
意欲管理
4
個人の動機に見合った関わり方を心がけ、
目標達成のサイクルを創る
ヒトのマネジメント
コトのマネジメント

た、キャリアの支援や成長のサポートを行うことです。

また、営業という仕事は綺麗事や教科書的なことだけでは片づけられない人間ビジネスです。お客様の叱咤やクレーム等で落ち込むこともたくさんありますし、同僚と比較したり、やる気で漲《みなぎ》る日もあれば自分は営業に向いていないとゲンナリする日もあるはずです。

その一方で、話を聴いてくれる上司がいるだけで、前向きになれたり頑張ろうという気持ちになれたりすることもあるでしょう。本来、営業とはエモーショナルな仕事です。目標達成に向かって、チームで一丸となって成果を出せたり、目標達成という歓喜に沸くことで日ごろの苦労を水に流しているのです。このようなドラマチックで熱意溢れる職場環境をつくるのもヒトのマネジメントにおける大切な仕事のひとつです。

では、「コトのマネジメント」はどのような役割を持つのでしょうか。

右の図でいえば、**1** 指標管理 **2** 行動管理 **3** 案件管理がコトのマネジメントにダイレクトにヒットしてくるでしょう。中でもアウトバウンド（プッシュ）の法人・新規営業のマネジメントにおいては、**2** 行動管理と **3** 案件管理を重要視しています。

なぜなら、アウトバウンド（プッシュ）営業では、「購買検討」の段階に入っていない買おうと思っていないお客様を相手に商談を行うことになるからです。

そうしたお客様と向き合えば商談プロセスの中の至るところで、買わない理由や買わない判断が出てきて商談が前進しません。

つまり商談を前進させるためには、**営業マネージャーは営業担当者に対して、次の2つの点にマネジメントを効かせています。1つ目は、営業担当者が正しいプロセスや行動を推進できているか。2つ目は、案件を受注に向けて推進する上で、阻害要因や懸念事項を是正するための案件推進のサポート**です。

まさに「コト」のマネジメントは、営業成果にダイレクトに繋がり、即効性が認められるのです。

生成ＡＩを活用することで、営業マネジメントの効率化が図れるのは、この「コトのマネジメント」です。営業メンバーのプロセス数値を生成ＡＩに分析させて、設定すべき指標をアウトプットさせたり、あらかじめプロンプト（生成ＡＩに対する指示文）の条件に、プロセスごとのチェックポイントをまとめておくことで、営業数値を読み込ませた時に、営業活動のどこに問題があり何を改善すべきなのかヒントを出してくれます。

また、現在はリモートワークなども増え、メンバーと同じオフィスで働いたり、コミュニケーションを取る機会が減ってきている企業もあります。そうした中で、**コトのマネジメントの一部を生成ＡＩにサポートさせる、もしくは代行させることで、営業マネージャーの時間を生み出し、ヒトのマネジメントに時間を当てて欲しい**とも考えます。

5　営業マネジメントの品質アップ

営業マネジメントの効率化同様、営業マネジメントの品質向上にも生成ＡＩは寄与できます。そもそも私たちは、マネジメントに関する教育や学習を満足に受けるという機会が少ないように感じます。

特に、営業マネージャーに関しては、営業成績が優秀だった人がそのままステップアップの過程でマネジメントサイドに移行することが多くあります。

「名選手、名監督にあらず」という言葉がありますが、必ずしも優秀な営業プレイヤーが理想の営業マネージャーになるとは限りません。

現代においては、**営業マネジメントも営業職においても「再現性」や「平準化」が求められる時代**です。

採用が難しく、転職も盛んになった現代においては、今残ってくれるメンバーの成果を最大化させるという点に、マネージャーはスコープを当てなければいけません。そうしたボトムアップが必要な営業組織の中で、自身の成功体験だけに依存するマネジメントは品質が高いとはいえません。**生成AIや様々なデジタル、データを活用して俯瞰的に見て最適解を求める必要**があります。

6　戦略や戦術をつくるための分析効率向上

これまでのメリット紹介でも折に触れてきましたが、生成AIはデータや情報を取り込み、その情報を整理・加工して、目的とするアウトプットを行ってくれます。

例えば、

■過去に受注した案件の企業属性、商談履歴、面談者情報、ニーズ等を読み込ませることで、結果と要因の関係を調べて、優先度の高いターゲティングアイデアを出す（競合他社のリプレイスで受注している／上場企業が受注しているなどの因果を出す等）

■クロージングまでいった案件のうち、最終的に失注した案件の失注理由と共に企業属性、商談履歴、面談者情報ニーズ等を読み込ませることで、失注理由に対する商品化施策、マーケティング施策、アポイント獲得を目指す役職設定、ヒアリング内容、反論対策などのアイデアを出力させる

■契約している既存取引顧客の解約率の高い顧客の解約理由と共に、顧客属性とニーズ種類の因果関係を調べたり、理想とする受注時の条件や商談獲得を洗い出す（インバウンドよりアウトバウンドのほうが解約率が高い／売上が50億円以下は解約率が高いなど）

■同様に、ＬＴＶ（Life Time Value：顧客生涯価値）が高く、取引継続期間が長い場合の因果関係を調べる

ここで挙げたのは一例ですが、累計総売上、受注、案件、商談、ターゲットリードと、セールスプロセスにおける成果と因果の関係性を調べたい項目に対して、高度な分析をさせることが可能になります。

7 再現性のある営業活動の推進

生成AIを営業活動のプロセスに取り入れることで、再現性のある営業組織づくりと営業活動の推進に役立ちます。再現性とは、文字通り誰がやっても同じような成果を出せたり、同じ状態に仕上げることができるということです。

営業組織や営業活動において再現性の反対に位置する「属人的」になる環境をピックアップしてみたので、次ページの図（【2－3】）をご覧ください。そもそも属人的な傾向になりやすい営業活動において、**3**を解決する「標準化されたセールスプロセスを構築する」に生成AIは役立ちます。

商談準備の段階で生成AIに決められたプロンプトで業界調査を行ったり、メールを送る前に生成AIで誤字脱字や文章校正を行ったり、情報収集や準備を行う上でルールや手順を設けることで、一定の再現可能なセールスプロセスを設計することができます。

図2-3　再現性を阻害する要因

1｜個人の性格や経験に依存している

対人関係のやり取りの中で、その営業担当者が持つユニークな能力や性格が発揮されている場合、再現が難しい項目となります。また、その営業担当者の経験や体験に依存したコミュニケーションが発揮されているシーンが多くなれば、属人性は高まります。

2｜情報共有（ナレッジシェア）の不足

営業担当者間での情報共有が不十分な場合、各担当者は独自の顧客情報や営業戦略を持つことになり、属人化が進む可能性があります。マネジメントサイドが十分な環境を用意をしていない場合も同様です。

3｜標準化されたプロセスの不在

その営業組織が目指すべきセールスプロセスが明確でないケースや、標準化のためのルールやツールが整備されていない場合、各担当者が独自の方法で業務を進めることになり、属人的な要素が強まります。

4｜トレーニングと教育の不足

新人や他の担当者に対する十分なトレーニングや教育が行われていない場合、経験豊富な営業担当者に依存する傾向が強くなります。また、上司や先輩となる立場の人間が属人的であると、そのナレッジやノウハウは教育されにくかったり、指導者によって教育内容が変わってしまいます。

5｜報酬システムの影響

個人の成績に基づく報酬システムがある場合、個々の担当者が自分の成績向上のために独自の戦略をとることが多くなり、これが属人化を促進することがあります。

生成ＡＩの「甘い蜜」を味わえるかどうかは使い手のリテラシー次第

現在の生成ＡＩの多くは、対話形式の自然なやり取りの中で、生成ＡＩに学習させたり、コンテンツを生成させるというのが主流です。つまり生成ＡＩの活用で受けることのできる甘い蜜は、使い手の対話力や前提知識に影響されるところがあるのです。

ところが、生成ＡＩを有効活用できていない人の言い分はこうです。「そもそも使い方がわからない」「欲しい回答と出てくるアウトプットが違う」といったものです。こうした回答をされる人に限って、実は生成ＡＩだけでなく人間同士の会話でもバグが起こっていたりします。

ここで少し「ＡＩに指示できない人は、人に対してもろくな指示を出せていない」という私自身の実体験を紹介します。

先日、生成ＡＩを用いてとある調べものをした際に、求めているアウトプットとズレた回答が出力されたことがありました。私は生成ＡＩを「そういうもの」と理解しているため、「質問の出し方や条件、プロンプトの設定が甘かったな」と、ぶん投げ依頼をした自分の否を認めました。

一方で、当社のメンバーに同じような仕事の依頼をした際、希望したアウトプットが出てこなかった時に「何でわからないかなぁ」とか「くみとってくれよ」といった、ガッカリという感情が湧き上がったのです。

私も生成ＡＩと深く向き合う前は、こうした感情を抱くことは日常茶飯事でありました。しかし、生成ＡＩから「期待以上の回答を得るには、使い手のリテラシー次第」と学んでから、この事実に向き合った時に自分の感情やコミュニケーションがとても恥ずかしく感じるようになりました。

つまり、**生成ＡＩでも人間であっても、いい回答が出てこない理由は、依頼の仕方が悪いから**だということに気づいたのです。

このように生成ＡＩを使いこなせるかどうかは、使う側の知識やリテラシーに大きく依存します。

では、ここからは、生成ＡＩを有効活用するための条件について触れておきましょう。

生成ＡＩの得意なこと、苦手なこと

生成ＡＩは万能ではありません、得意なことと苦手なことがあります。例えば、得意なことには次のようなことが挙げられます。

●大量のデータからのパターン認識

ＡＩは大規模なデータセットからパターンを学習し、類似の状況やデータに適用するのが得意です。すでに世の中に情報やデータが集まっているものであれば、情報のピックアップもスムーズです。

●言語生成や画像生成

テキストを生成することにおいて、生成ＡＩは非常に優れており、記事、ストーリー、対話など様々な形式のテキストを生成できます。また、与えられた説明に基づいてリアルな画像やアートワークを生成することができます。

● **データ分析と予測**

データから傾向を分析し、未来の予測や傾向を導き出すのに適しています。

● **自動化と効率化**

ルーティン作業や繰り返し作業の自動化により、時間とコストの節約に貢献します。

このような得意なことがある一方で、当然、苦手な分野もあります。具体的には、次のようなものが挙げられます。

● **文脈や背景の理解が不十分**

ＡＩは特定のコンテキスト（文脈）や微妙なニュアンスを完全に理解するのが難しいことがあります。

●**創造性の限界**

ＡＩは既存のデータや情報に基づいて生成するため、人間の創造性やオリジナリティには劣ることがあります。

●**倫理的判断の欠如**

ＡＩには倫理的判断をする能力がないため、その使用には人間の監督が必要です。

●**感情や感覚の理解**

ＡＩは人間の感情や感覚を完全に理解することはできません。

●**リアルタイムの適応と学習**

一部のＡＩはリアルタイムでの適応や新しい状況への迅速な学習が難しい場合があります。また、生成ＡＩは「～はしないで」といった「否定語」を理解するのが難しいと言われています。これは人間の場合も同じで「頭の中でカレーを想像しないでください」と要望しても、脳内で想像してしまうのと一緒です。

生成ＡＩを有効活用できる4つの条件

生成ＡＩの性質を理解したところで、ここからは生成ＡＩの得意なことを意識しつつ、効率的に駆使するために必要なことを見ていきましょう。

①質問の精度を高める

質問の精度が高ければ、目的や狙いに沿ったアウトプットを期待できます。質問の精度が高いとは、まずは**質問が明確であること**です。

質問が具体的かつ曖昧さが少なく、受け手が質問の意図を容易に理解できることが重要です。次に関連性を持たせることです。質問が議論のトピックや目的に直接関連している状態をつくります。

さらには具体性が必要です。質問が具体的な情報や詳細を求めており、一般的かつ抽象的な内容ではないことを目指します。

そのためには回答の範囲の適切さも重要です。

その上で質問の目的が明確で何を知りたいのか、何を解決しようとしているのかがハッキリしている状態が「質問の精度」が高い状態であり、生成ＡＩを有効活用するための条件のひとつです。

②「プロンプト」への正しい理解と活用

質問の精度に影響するのが「プロンプト」の活用です。

生成ＡＩの活用においては、このプロンプトという言葉が度々登場するキートリガーとなります。

生成ＡＩにおけるプロンプトとは、ＡＩに対して指示やリクエストを伝えるための入力文や指令のことを指します。プロンプトはＡＩがどのようなタスクを実行するか、どのような出力を生成するかを定めるために使用されます。

期待するアウトプットを生成ＡＩから得るためには、背景、条件、目的などを具体的にプロンプトに含めることが重要です。プロンプトの詳細や参考例は後述する付録ページをご参照ください。

③「ハルシネーション」に惑わされない

生成AIが回答する情報には誤情報や現実とは異なるもっともらしい答えを出力することがあります。

これを「ハルシネーション」と呼びますが、前提として、生成AIは平気でウソや間違いを伝えてきます。

生成AIを使う私たちは、生成AIの「何が真実」で「何がウソ」かを見極める前提知識と、クリティカルシンキング等の前提を正しく疑う力が必要です。これはとても大切なところですので、詳しくは後述します。

④生成AIが出す回答に対して〝対話を重ねる〟

生成AIの有効活用をあきらめてしまうケースで多いのが、「たった一度の対話ラリーで生成AIの有効性を見極めてしまう」パターンです。

人間同士の対話はどうでしょうか？

主語の置き方、句読点の置き方ひとつで相手の理解なんていくらでも変わります。

人間同士の対話であれば是正してコミュニケーションを続けるのに、生成ＡＩとの対話では、限られたチャンスしか与えてもらえない、それはとてもアンフェアな環境だといえるでしょう。

理想のアウトプットのためには、出された回答に対して具体提な指示や是正を行うことが必要です。

参考コラム

文章の書き方や説明の仕方で、受け取るほうの理解が変わるのは人間も生成AIも一緒です。例として次の文章を想像してみてください。

部長は 笑いながら 会議に参加している 部下を叱った

さて、笑っているのは「部長」ですか？　それとも「部下」ですか？

この文章を生成AIに聞いてみると、次のページのような回答になりました（【図2-4】参照）。

実はこのやり取り、句読点をどこに置くかで解釈が異なる文章です。私たちの会話や言葉には相手の受け取り方によって情景や前提が異なってしまうことが日常茶飯事で発生しています。これを相手の理解力や文脈の解釈がおかしいと一蹴するのは乱暴です。

図2-4

You
AIさんに質問です、次の文章を読み質問に答えてください。

部長は笑いながら会議に参加している部下を叱った

質問：笑っているのは「部長」ですか？　それとも「部下」ですか？

生成AI
この文章において、「笑っている」のは「部下」です。文章の構造から、「笑いながら会議に参加している」は「部下」に関連しており、その部下を部長が叱っているという状況が描かれています。

You
本当にそうですか？

生成AI
再度検討したところ、私の先の回答は間違っていました。正しくは、文「部長は笑いながら会議に参加している部下を叱った」において「笑っている」のは「部長」です。

文の構造上、"笑いながら"という部分が直接"部長は"に繋がっているため、この文では部長が笑いながら部下を叱っていると解釈されます。部下は会議に参加しているとされていますが、彼らが笑っているとは明示されていません。

人間同士のコミュニケーションも生成ＡＩも、前提の目線と言葉合わせから始まり、わかりやすい文章構成や理解されやすい表現を用いることが、ビジネスを前進させる秘訣になるかもしれません。

生成ＡＩのリスクをコントロールする上で大切なこと

ここまで、生成ＡＩのメリットや有効活用方法について触れてきました。

しかし、当然ながら生成ＡＩはメリットばかりではありません。

生成ＡＩは「諸刃の剣」的な側面を持ちます。

もちろん、どのようなビジネスにも一定のリスクはつきものです。

したがって生成ＡＩを有効活用するためには、生成ＡＩの特性や留意点の理解に努め、組織としてのガイドラインや営業担当者個人レベルのリテラシー向上を推し進めることで、リスクをコントロールできるようにすることが重要なのです。

このセクションは、生成ＡＩの留意点のインフォメーションです。生成ＡＩの解像度を高め、いきすぎた幻想や誤解を抱かないようにコントロールし、リスクヘッジを図っていきましょう。

●生成ＡＩを活用する上での留意点

1 ＡＩは「普通に」ウソをつく（ハルシネーション）
2 倫理観や美意識のない判断が立場を危うくする
3 著作権等の基本を押さえるのはＡＩパフォーマーの道徳
4 ＡＩの回答〝だけ〟では、あなたの営業スキルは向上しない
5 回答を選んだ責任はあなたにある

これらについて、一つずつ解説をしていきます。

1　ＡＩは「普通に」ウソをつく

まず誤解のないようにお伝えしておくと、現段階において生成ＡＩは意図的に虚偽の情報を生成するわけではありません（意図してウソをつくようになってくると世も末ですね）。**学習データの偏りや理解の限界、プロンプトの不明確さによって、生成ＡＩが誤った解釈をして出力する**ことがあります。先に記した通り、これをハルシネーションと呼びます。

このような誤情報を出力させない質問やプロンプトを用いることができれば理想的ですが、再三お伝えしている通り、**人が「伝えた」と思っている言葉には、相手に誤情報を想像させるノイズが満載**です。

ミスコミュニケーションをなくすことは不可能に近いので、AIの出力は参考情報の一つとして扱うべきで、特に重要な判断を下す際には追加の検証が必要です。

私が体験した具体例を挙げます。

とある大手企業のIRで公開されていた、業績ハイライトやバランスシートの情報を生成AIを用いて要約させ、商談準備の事前知識としてインプットしていました。

私の場合、現職がCMOと研究所所長ということから、営業活動の主戦場に毎日向き合っているわけではありません。

「他の仕事をしながら、効率的に準備をしたい」くらいに考え、途中まで生成AIのアウトプットを信じて、それを前提に商談仮説を立てていました。

その生成AIの出力では、売上は昨対で伸長しているが、営業利益は前年を割っているという状態だったので、何か大型の投資をしたのか、予期せぬ出費があったのか、気になってPLを見にいくと、実際には営業利益も伸長していたのです。

つまり、生成ＡＩが誤情報をまとめていたということです。こうなってくると、私が構築した仮説の前提はすべて変わってきます。

もし、この情報をそのまま信じて商談時に「増収減益の理由は、何か大きな投資をしたのですか？」なんて聞いたら大変なことになっていたかもしれません。

読み込ませる情報がテキストになっているかどうかなども、読み取りの精度に影響するとは思いますが、やはり大切な情報やセンシティブな情報については、自分で確認することが必須だなと身をもって体験しました。

2　倫理観や美意識のない判断が立場を危うくする

生成ＡＩを取り入れようとしている企業、そして営業担当者に私が強く意識づけしていることがあります。それが「倫理観」と「美意識」を持て、ということです。

倫理観はイメージが湧くでしょう。ここでは「なぜ美意識なのか？」ということです。

日本人が古来から持つ美意識とは、「他者を尊重する、思いやりや礼儀を大切にする感性」と耳にします。つまり、善いこと（美しく品性のある行い）／悪いこと（下品で身勝手な行い）の基準を持つということなのです。

倫理観や美意識を持つと、目配り・気配り・思いやりが生まれます。

それは、**「私たち営業側が生成ＡＩの利用を許可していても、お客様企業は許可していないかもしれない」という前提への疑いを持ち続ける**ことに繋がります。

この前提が持てていない営業職のコミュニケーションやアクションは常にリスクを孕《はら》みます。

例えば、営業担当者が商談後に議事録としてお客様にメールをするとします。そのシチュエーションにおいて、悪気なく「ＡＩにまとめさせました」と発言することもあるかもしれません。

この時、お客様が生成ＡＩの利用を禁止しているのに営業側がお客様情報や世に出していない機微を含む情報を生成ＡＩに学習させてしまうのは倫理的に問題がないのか、と考えることが「美意識を持ち合わせた行動といえるのか」ということです。

そうしたケースでは、「商談内容の議事録は効率的だから生成ＡＩにまとめさせよう！」と手法のみを切り取った方針を発するのではなく、美意識や倫理観に則った判断軸やあり方（スタンスとスタイル）を教育しなければなりません。また、今回のケースでいえば、商談における会話情報をそのまま議事録としてまとめさせるのは危険だと考えるべきです。

こうした観点から、営業マネージャーや営業企画・オペレーション部門は営業組織における生成ＡＩ活用のガイドラインや手引書の作成とそれに伴う教育体制を整えるべきです。

しかし、ここでポイントになることが、**手段や手法をルールとして禁止しても、その意図や生成ＡＩを活用する営業としてのあり方（スタンスとスタイル）を理解していなければ、違うところでミスやトラブルを起こすという可能性がある**のです。なぜならルールやガイドラインですべてのシチュエーションを想定するのは難しい上に、記載する数が増えれば増えるほど、守られないリスクが増えるからです。

そこで重要になるのが、倫理と美意識のセットアップなのです。

これはトップダウンの命令だけでは養えない、個々の営業担当者の心に根付く感性や意識となりますので、定期的に勉強会や考えさせる機会を設けることも大切です。

3　著作権等の基本を押さえるのはＡＩパフォーマーの道徳

生成ＡＩの利用については、著作権や法律的にどうなのかという疑問がセットで発生します。

しかし、営業組織で「著作権」の扱いについて、細かく正確に指導している組織は残念ながら多くありません。

そこで生成ＡＩを活用する上で押さえておきたい著作権の基本をまとめました。

ただし、本書に記載するのは２０２４年2月時点での解釈であり、法改正や裁判などで新しい判例ができれば、類似事案はそれに基づいて判断されたり、傾向の予測も変わっていくことから、適宜、自己責任で最新情報のキャッチアップをお願いします。

次のまとめは、著作権法および文化庁の著作権セミナー「ＡＩと著作権」を参考文献としています。著作権法における生成ＡＩおよびデジタル化の対応については、すでに法第30条の第4項が整備されており、現在、文化審議会においてその考え方の明確化について議論されています。

それでは、まずはＡＩに限らず著作物を許諾なく利用できるケースを調べてみます。

●私的利用は著作権者の許諾なく利用することができます

著作権法第30条第1項では、「個人的に又は家庭内その他これに準ずる限られた範囲内において使用することを目的とするとき」と、基本的には著作権者の許可を得ることなく、著作物を複製、使用できると定められています。これを著作物の「私的利用」といいます。

要約すると、**個人が学習したり、情報をまとめるために書籍などの著作物を使用するのは問題ない**そうです。では、パワーポイントなどの資料に引用したり、情報の転載をする場合はどうでしょうか？

●著作権法第32条第1項に規定される「引用」の要件を満たすか、許諾を得るか

裁判例（東京地判昭和52年7月22日）では、「企業その他の団体において、内部的に業務上利用するために著作物を複製する行為は、その目的が個人的な使用にあるとはいえず、かつ家庭内に準ずる限られた範囲内における使用にあるとはいえない」と判示し、私的利用には該当しないという立場が取られています。このように、業務上の利用の場合は私的利用にあたらず、著作物を利用するためには、著作権法上の「引用」にあたる必要があります。著作物を引用として掲載する場合には、以下のチェックポイントをすべてクリアしている必要があります。

―すでに公表されている著作物であること
―引用の必要性があること
―引用部分とそれ以外が明瞭に区別されていること
―本文が主、引用部分が従であること
―引用部分にオリジナルからの改変が加えられていないこと
―出典を明示すること（新聞社（出版社）名、発行年（日）、著者、ページ数など）

このように、企画書や提案書に掲載された第三者の著作物は、著作権侵害の可能性もあり得るということがわかります。同時に注意が必要なのは、**著作物の利用の仕方によって、引用元の明記等の条件をクリアすれば使用できるものもあれば、著作権者に承諾を得ないといけないものがある**ということです。

では、ＡＩの場合はどうなるのでしょうか?

文化庁の著作権セミナー「ＡＩと著作権」の公開ＰＤＦを参考に要約してみました。文化審議会での検討の過程では、著作物が入力される段階と出力される段階とを分けて検討する必要があるとの発言が交わされたようです。

〈入力〉

●入力行為は著作権侵害にならない（条件あり）

AIに入力（学習）させる段階では、著作物の表現や思想を変えるものでなく、著作者に不利益を講じるものではないということから、著作権者の許諾なく実施できるとされています。ただし、著作物に表現された思想又は感情の享受を目的とする場合は著作権者の許諾が必要となります。また、思想又は感情の享受を目的としない場合であっても、必要と認められる限度を超える場合などは著作権者の許諾が必要となります。

簡単にまとめると、入力行為自体が著作権侵害になるとはいえないが、著作権者に不利益が生じたり、その考えを自分のものにしようとする場合は許可を得なければいけないということがわかりました。

では、出力はどうでしょうか？

〈出力〉

● AIに限らず、著作権侵害になるものもあればならないものもある

結論としては、AIであるかどうかは直接関係がない。作成（生成）されたものが、「類似性」及び「依拠性」に該当するかどうかで判断される。

ということがわかりました。続いて「類似性」と「依拠性」とは何なのか、こちらも調べてみました。

・類似性は言葉通り複製（コピー）に関することであり、既存の著作物と似ていることで著作権法に違反していると見なされる
・依拠性とは他人の著作物を利用して創作したこと

以上となりますが、具体的にどのような時に著作権侵害になり得るのでしょうか？
生成した画像をアップロードしたり、資料に入れたり、複製物の販売、書籍の類似情報や依拠性が認められた商用利用については、著作権侵害が認められる可能性があるとのこ

とです。簡単に言ってしまえば、生成されたものが、「これ明らかにコピーだよね」「この著作物をベースに制作したでしょう」ということが認められたら、著作権侵害になる可能性があるということになります。

営業担当者は、資料や企画書に、データを用いて説得力や根拠を示したいというケースもあると思いますが、生成ＡＩにコンテンツや情報をまとめさせる場合は十分に注意しましょう。

そして何より、**人様のコンテンツを勝手に利用・加工して我が物顔で披露する姑息な行為は、お客様にとっての印象も悪くする可能性**があります。ぜひ、倫理観と美意識を持った行動をお願いします。

4 AIの回答〝だけ〟では、あなたの営業スキルは向上しない

これは勘違いしたくない残酷な事実となりますが、営業活動のガイドを生成ＡＩが行ってくれたり、生成ＡＩが準備をサポートしてくれて、知りたい情報の回答を出してくれたからといって、あなたの営業スキルが高まったと勘違いしてはいけません。

厳密には、「生成ＡＩの活用リテラシーが高まる」という成長や生成ＡＩが出力してく

れた情報を記憶したり活用することで知識や体験情報となって成長するということはあり得ます。

しかし、生成ＡＩが答えを出したからといって、あなたの営業基礎能力そのものが向上したわけではないのです。

具体的に解説します。

例えば商談準備に生成ＡＩを活用しようとした際に、ＷＥＢサイトなどから情報を要約させて「質問リスト」を生成することに成功したとします。

これによって、調査や情報の整理と質問項目を挙げるという意味での「時短」には成功していますが、決して**あなた自身の質問力が高まっているわけではありません**。

配列された質問リストをひとつずつ確認する行為は、傾聴でもなければ対話の中で生まれた自然な質問でもありません。

これをされるお客様の体感は「尋問」です。

また、質問リストが存在しても、その質問に答えていただく情報をどう受け止め、どのように掘り下げ、自社の提案にどうやって結び付けていくのか、これらを同時に進めることができなければ、優れた質問リストも台無しになってしまいます。

声を大にして言いたいことは、生成ＡＩを活用するということは、営業担当者の教育や教養を身につけさせることの代替にはならないということです。

生成ＡＩで武装した状態だけで商談をするということは、ＲＰＧゲームでたとえるなら「王者の剣」「王者の鎧《よろい》」といった最強武具を装備したレベル３の勇者が強敵に挑むようなものです。

おわかりですよね……**武器は本人のスペック（基本能力）を超えない**のです。

では、生成ＡＩは営業活動の何を豊か（便利）にしているのか？

次のページの【図２－５】をご確認ください。

セレブリックス営業総合研究所の整理では、営業力を構造的に分解すると、**営業力＝営業スキル×（テーマリテラシー＋サービスリテラシー）**に分けられると整理しています。

営業スキルには、営業職種（アカウント営業／ルート営業／ファネル別営業のインサイドセールス／ファネル別営業のフィールドセールス）や所属業界によってあまり影響の受けない、思考スキル（論理的思考や仮説思考など）から、主にコミュニケーション等の対人スキル（質問力／共感力／交渉力など）と、職種や業界によって求められる専門スキル（リスト作成スキル／ＩＲ読解スキル／

図2-5　AIは営業の何を豊かにするのか？　営業力編

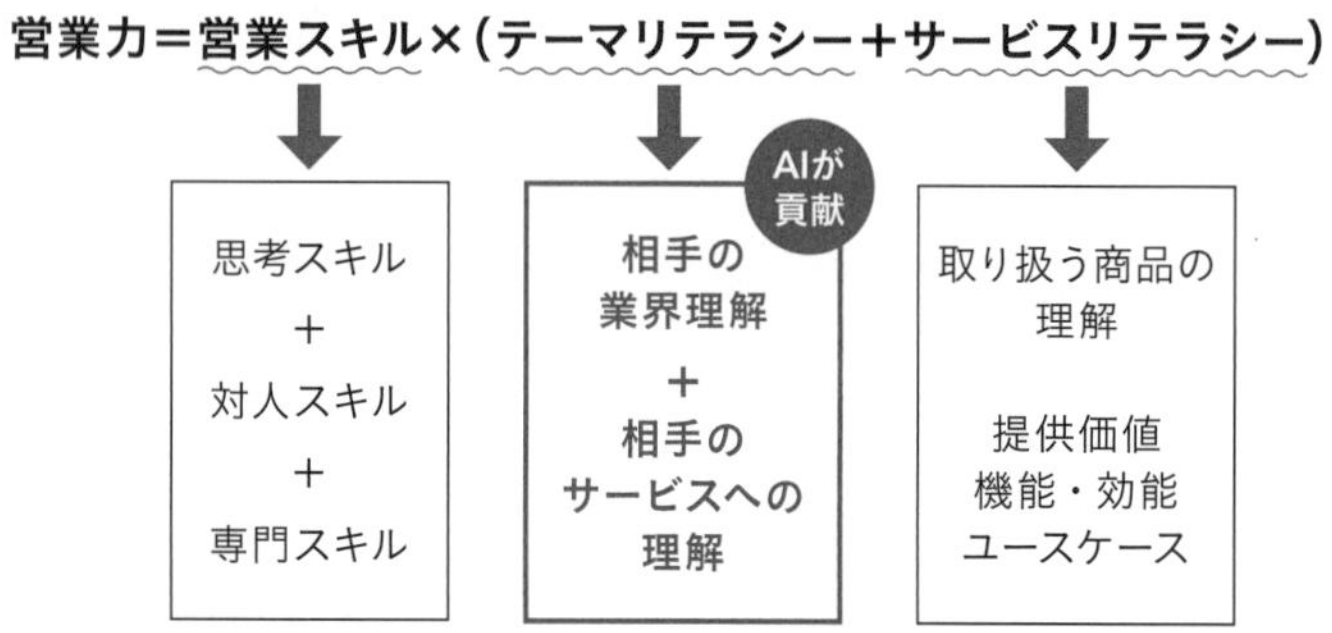

AIを活用しても、その人本人の理論的思考力や傾聴力が高まるわけではない。
AI頼みのセールスパーソンになると、中身がスカスカの薄っぺらい営業になるだけ。

3C分析など）に分けられると考えています（セレブリックス営業総合研究所「職種別営業スキルの調査レポートVol.1」より抜粋）。

図の右の「サービスリテラシー」は、あなた自身の取り扱う商品の理解、競争優位性、提供価値、選ばれる理由、ユースケースや事例の理解度と活用アレンジのスキルとなります。

一方で図中央に位置する「テーマリテラシー」は、特定テーマに対する基本知識のことを指しています。主にターゲット顧客や顧客の所属業界、顧客のビジネスといった特定のテーマに対する理解です。一言でいえば、顧客理解といってもよいでしょう。**現在の生成AIの特性や機能をフル活用するという**

点では、「営業力」の3つの要素の中でこのテーマリテラシーに最も貢献してくれます。

生成ＡＩの活用で得られる恩恵は、人がやらなくてもよい仕事をサポートしてもらうことで、効率化を図るという側面の他に、商談相手の業界理解やビジネスモデルのインプット、お客様の見える景色での〝あるある情報〟や専門用語の装着など、お客様の購買体験を高める事前情報のインプットで効き目が表れます。

テーマリテラシーを高めるために生成ＡＩを活用するというポイントは、営業担当者は押さえておくとよいでしょう。

5　回答を選んだ責任はあなたにある

ＡＩパフォーマーとして、生成ＡＩを活用した営業プロセスを推進していく上での最後の留意点は、「ＡＩの回答を選択した責任はあなたにある」というトピックです。

言い換えれば**「生成ＡＩは出した回答に責任を取ってはくれません」**ということです。

これから先、生成ＡＩが普及した未来の世界では、ヒトの役割とは、自分で判断する覚悟を持つこと、その判断に責任を持つことかもしれません。

そのためにも、先述した「ＡＩの回答を健全に疑う」というスタンスや「美意識と倫理観をもって意思決定をする」というスタイルがますます重要になってくると考えます。

ただし、生成ＡＩに触れてこなかったこれまでの日常でも、選択の責任があなた自身になかったかというとそうではありません。

例えば企画書のタイトルひとつを考える場合も、過去の資料を参照したり、ネットで検索したり、周囲に相談するなどして、いくつかの言葉を組み合わせたり、候補の中から選択してきたはずです。

あなたが選択した小さな判断の積み重ねが、最終的には受注・失注・中長期検討という結果に影響を与えたはずです。

生成ＡＩの登場は、これらの候補や選択肢を抽出するのが、比較にならないほど容易になったということです。

ＡＩドリブン（ＡＩ駆動）によるインテリジェントセールスとは、ＡＩに営業活動のデータを提供し、営業場面で必要な情報やコンテンツを生成ＡＩに生成させ、行動や手法を営業パーソンが意思決定をしていくスタイルの営業活動を指します。

繰り返しになりますが、意思決定するのは営業パーソン・営業担当者であるあなた自身です。「ＡＩが出したことなので、私はわかりません」といった責任転嫁は通用しないのです。

以上、ここまでが生成ＡＩに向き合う上でのマインドセットでした。

次章からは生成ＡＩをセールスプロセスに取り込んだ、スマートなセールスプロセスの描き方に触れていきましょう。

第3章

知的でスマートな「セールスプロセス」のデザイン

日本における営業活動は、今でこそＤＸやデジタルシフトの片鱗を見せはじめ、いよいよ革命の夜明けを迎えようとしています。

しかし、他の職業や職種に比べると進化や変化が起きにくい職業と言われてきました。例えば、商談においては「訪問」するのがあたりまえだと考えられていたり、資料は印刷して配布するのがマナーだと考えられてきました。他にも、法人営業で提案書をつくる過程では、オフィスツールのスライドサービスで制作するのが一般的です。これこそ習慣に根付いた「あたりまえ」であり、提案書作成やプレゼンテーションのあり方について疑問を唱える人が少ないのが実態です。

営業は〝上司や先輩の背中を見て育つもの〟という幻想や、科学的に研究がされてこなかった分野であるため、イノベーションが起きてこなかった可能性は否めません。日本の営業における進化が遅れた理由のひとつに、「新卒の総合職」という扱いがあるのかもしれません。日本ではいまだ営業が「修業の場」として捉えられ、総合職の新入社員は、「皆、まずは営業を経験せよ！」という号令が飛び交ってきました。

営業で身につくポータブルスキルの重要性は否定しない（ファーストキャリアとして身につくものが多いのも事実）ものの、悲しいことに営業職が「専門スキルが必要な技術職」だとは認識されていない証明ともなっています。

その顕著な傾向として、日本の営業職の給与はアメリカ等の先進国から見ると低く、国内でも外資企業と内資企業では年収に差が出てしまっています。

では年収だけ上がればいいかと言われればもちろんそんなことはありません。年収水準だけが上がっても出せるパフォーマンスが高まらなければ、営業利益率を低下させるだけの可能性があるのです。

営業担当者にとっても、年収が高まるのは望ましいことでも、過度に期待値が上がり目標や要望が高まって居心地が悪くなったり達成率に影響するのは、「望まぬ待遇」といえるのではないでしょうか。

そこでひとつの「鍵」となるのが、営業職の生産性向上です。

営業生産性を高めるということは、売上（トップライン）を上げるか、コスト（お金・時間・労力）を下げるか、利益を守るか（リスクを下げる、リスクをコントロールする）のいずれかに影響力を効かせることです。

生成ＡＩを活用したセールスプロセスのリエンジニアリング（再構築）は、営業生産性を向上させるポテンシャルを秘めています。

生成AIをブレンドしたプロセスが営業生産性を改善する

ここでは、生成AIだけでなく、「生成AIの活用も含めたデジタル活用」と主語を少し大きくして皆さんと営業生産性の向上について考えていきましょう。

営業生産性を高めるということは、つまるところ、

■売上（トップライン）を上げる
■コスト（お金・時間・労力）を下げる
■利益を守る（リスクを下げる、リスクをコントロールする）

のいずれかを実現する必要があります。

とはいえ「日本の営業生産性は低い」という提言があっても、日常の経営や業務に影響するかというと、なかなか当事者意識として向き合うことは難しいでしょう。

企業の目標達成、部門の目標達成、個人の目標達成に向けて課題はたくさんあります。営業界隈における社会課題などに気を配る時間なんてありません。

しかし、これがいよいよ他人事でなくなる可能性が出てきています。次のページのデータは、私がX（旧Twitter）で調査をしたアンケートです（【図3－1】参照）。

営業職側への確認事項として、「もし転職するとしたら、生成AI（最新テックツール含む）を使えたり、学べる環境を希望しますか？」という問いに対して、**74・2％の人が生成AI等のデジタル対応に前向きな企業を優先すると回答**しました。

ここでわかることは、優秀な人物を採用しようとしたら「生成AIやデジタルシフト」に対応していないと採用が難しくなる、ということです。

見方を変えれば、優秀な社員が退職したり他に転職する理由にも今後はなり得るということです。優秀な営業担当者を確保できないということは、当然トップラインを上げる阻害要因になりますし、採用コストの増加にも繋がります。また、優秀な人材の離脱やそれに伴う組織に与える心象への影響など、利益を失うリスクを高めてしまうことになりかねません。つまりは、**優秀な人物を採用しようと思うなら「生成AIやデジタルシフト」に対応していないとけない**ということです。

図3-1　Xで調査したアンケート結果

営業系の人へ質問です。もし転職するとしたら、生成AI（最新テックツールも含む）を使えたり・学べる環境を希望しますか？
※他の条件はマッチしていることが前提

使える企業しか行かない	16%
使える企業を優先する	**58.2%**
わからない	9.3%
関係ない	16.5%

（419票）

これから採用する人は、生成AIの利用実績や知識があったほうが良いと思いますか？　他の能力や社風マッチはしていることが前提です（特に営業系・マーケ系）。

優遇するし条件も良くする	21.6%
優遇・歓迎する	**33.3%**
わからない	15.6%
関係ない	29.4%

（282票）

一方で、採用する企業側も生成ＡＩの利用実績や知識がある方を優遇・歓迎すると言っているのが54・9％と過半数を超えています。

ここで注目すべきは、**企業側は会社で自社で学んでほしいというニーズよりも、すでに実績や知識を持っている人を歓迎する**と言っている点です。生成ＡＩの利活用の有無が市場価値に影響する可能性が考えられるということです。

生成ＡＩ×営業モデル＝インテリジェントセールスプロセス

デジタルシフトや生成ＡＩ対応等をおざなりにするということでは、起こり得る未来に対して「営業生産性向上の断念」や「顧客体験向上の放棄」にも繋がる可能性があります。

例えば、生成ＡＩやデジタルを活用することで、「お客様にとって自分たちが困っている時に、ベストなタイミングで連絡してくれる」という痒《かゆ》いところに手が届く営業スタイルを推進できたらいかがでしょうか？　お客様にとって「役に立つ頼れる営業」というポジションを築けるかもしれません。

一方で、タイミングが悪い時に営業してくる人、営業すると「最近他社製品を入れた」と言われてしまう人は、他社と比較して営業面での競争に負けている可能性があります。生成ＡＩを活用して、お客様にとって「されたい」と感じる営業活動を推進できるかどうかも営業成果、ひいては生産性に影響してくるのです。

そこで登場するのが、**インテリジェントセールスプロセス**です。

セレブリックスが提唱する新たなセールスモデルであり、生成ＡＩやデジタルを有効活用した、知的でスマートなセールスプロセスのことを指しています。

旧来型といわれる勘や根性スタイルの営業活動では、根拠や辻褄の合わない無駄撃ち営業があったり、お客様の体験を無視した「売り込みスタイル」の一方通行型となったりします。

このステレオタイプな営業スタイルに対して、生成ＡＩやデジタルツールを活用し、一方通行型の営業から脱することができれば、〝セールスプロセスも顧客体験もスマート〟を目指すことができます。

それをひとつの図としてまとめたものが、次のページの一覧（図3－2）となります。

本章では、この図を詳しく解説していくものとします。

それでは、〝営業第4世代〟とも考えられる「インテリジェントセールス」と、そのプロセス（インテリジェントセールスプロセス）について一緒に見ていきましょう。

商談準備	商談	商談後

商談準備を やっている時間がない！ 移動中に見ておこう （WEBサイトに書いてあります と怒られた……）	お決まりの 訴求トークと汎用資料で テンプレ商談。 話を聴くよりも製品説明	やることだらけで 諸々後回し。フォローも レスも後手になる。 提案書作成の時間もない

AIが私の代わりに 商談先を調査分析して くれる。従来の1/5の 時間で商談準備が完了	企業ごと・商談者ごとに 個別化されたシナリオで 対話。一味違う営業 という印象に	音声の文字起こしで 議事録を生成したり、 資料の骨子やフォロー メールも作ってくれる

図3-2

インテリジェントセールスプロセス

生成AIやデジタルを活用した、知的でスマートな営業活動で
生産性を高めるセールスプロセス

	ターゲティングやリストアップ	接点構築・関係維持
旧来型営業（勘と根性）	 手作業でリストアップ！ 時間もないので とりあえず過去名刺を ピックアップ	 時間もないし、 たくさん電話も かけないといけないから テンプレトークで架電だ！
インテリジェントセールスプロセス	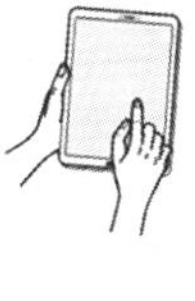 AIに分析させて 今一番成果が出るリストを ピックアップ。リストの詳細も かなり具体的に！	 お客様が「この営業は違うな と感動するような、 For Youメッセージを 瞬時に生成

この資料に記載されている情報は、セレブリックスの著作権によって守られます。資料の情報はセレブリック
顧客開拓メソッドTM／書籍等から引用しています。

そもそも「スマートな営業活動」とは?

〝スマート〟を辞書やWEBで検索すると、様々な意味やニュアンスと出合えます。

さっぱりしている/洗練されている/無駄がない/すらりとしている

他にも、賢い、高性能、利口な、頭が切れるといったスペック的な意味合いがあるようです。このことから「スマートな営業」には2つの意味が含まれていると考えます。

ひとつめは、営業の装い・たたずまい・質問・提案など、受け手(お客様)にとって印象やコミュニケーションがスマートに感じるということ。つまり、商談を通して営業パーソンに知性や洗練さを感じるということです。

ふたつめは、営業活動およびその周辺の業務やプロセスに無駄がなく、効率的で賢く仕事ができているということです。いわゆる、「泥臭い・足で稼ぐ・勘や根性」という、敬遠されるステレオタイプの営業と一線を画するスタイルであることです。

インテリジェントセールスとは何か？

前述したように、「スマートな営業」とは必ずしもセールステックや生成AIを利用した営業活動を指しているわけではありません。お客様にとって、その営業がスマートに映るかどうかは、営業パーソンの心構えや商談に向き合う姿勢、保有スキルや経験、心の余裕すら影響してくるからです。

とはいえ、旧来型の「勘や根性スタイル」の営業活動は、根拠や辻褄の合わない無駄撃ち営業があったり、お客様の体験を無視した「売り込みスタイル」の一方通行型になったりします。

デジタルやデータを活用することで、一方通行型の営業から脱することができるのであれば、〝セールスプロセスも顧客体験もスマートである〟を目指すことは可能です。このように、生成AIやデジタルを有効活用した、知的でスマートなセールスプロセスのことを「インテリジェントセールスプロセス」と呼んでおり、文字通り、知性的なセールスプロセスです。

仮に、「営業1・0をプロダクトセールス」とし、「営業2・0をソリューションセールス」、「営業3・0をコンサルティングセールス」とするなら、**インテリジェントセールスは「営業4・0」の次世代型**という扱いになります。

営業3・0のコンサルティングセールスは、営業自らがお客様の課題を発見・特定し、理想の未来に主導していくスタイルです。

その進化版の**営業4・0であるインテリジェントセールスは、データや生成AIを含めたデジタルの力を活用し、コンサルティングセールスを推進するイメージ**です。このインテリジェントセールスを遂行するセールスプロセスのことを、本書ではインテリジェントセールスプロセスと表現しています。

インテリジェントセールスプロセスと旧来型セールスプロセスの違い

インテリジェントセールスプロセスと旧来型のセールスプロセスは、【図3－2】のような取り組みの変化やスタイルの違いを生み出します。

従来の営業活動における常識には、アナログ時代の営業スタイルに築いた成功体験で構成されていることが多くあります。昔も今も本質的には「お客様が買いたくなる・買わない理由をつくる」関係性は大きく変わりませんが、コミュニケーションやプロセスを推進する手段は、テクノロジーを活用することでスマート×スムーズを実現できるのです。

それでは、【図3－2】の各項目を1つずつ見ていきましょう。

(A) ターゲティングやリストアップ

このフェーズはターゲット企業を特定し、アプローチ先のリストアップを行うプロセスです。

旧来型の営業組織だと、WEBサイトなどから手作業でピックアップしていたり、展示会リストやセミナー申込者、WEB上の資料のダウンロードでかき集めたリード（見込み客）に幅広くアプローチしているケースを目にします。

ターゲットでない顧客層やニーズ想定が明確でない顧客群に営業すると、仮説の精度も訴求メッセージの鋭さも失い、丸みを帯びた当たり障りのない営業活動を推進することになります。

「縁もゆかりもない新規リストに闇雲に営業を仕掛けるのはインサイドセールスではなくテレアポだ」と威勢のいい甘美な言葉を使うものの、実態として行っていることはあまり変わりがありません。

営業戦略で重要なことは、**「誰の」「どのようなシチュエーションに対して（ニーズ）」「何を」「どのように」提供するかを決め、勝ち方を特定していく**ことです。

ここで指す、「誰の」「どのようなシチュエーションに対して」を決めることが当社でいう「探客」であり、個々の輪郭が曖昧であれば、当然お客様をハッとさせる訴求トークを展開できるはずもありません。

また、リストを購入している場合も、業種・エリア等の大きな属性カテゴリで購入している場合にはターゲットと異なるノイズのあるリストに営業してしまう可能性が高まります。

繰り返しになりますが、「誰の」「どのようなシチュエーションに対して」をセットでターゲティングするのが肝です。

図3-3

ケース **会社から渡されたリストだけでは目標達成が難しいため、自分でターゲットリストを作成する**

旧来型セールスプロセス

- 営業コアタイムは架電と商談に集中したいので、18時以降と休日にリストを作成する
- 他の営業担当者と被らない業界や領域のリストアップを行う
- 少しでも楽をしてリストアップをしたいので、企業一覧が載っているWEBサイトからピックアップする
- 過去にアプローチした企業を定期的に掘り起こすようにリストを使いまわす

▶ 解説

熱意は感じるが、まさに3K(勘、経験、根性)のスタイルで取り組み方も属人的である。リストの精度と鮮度も低く、ニーズやシチュエーションを意識したターゲティングではない。

インテリジェントセールスプロセス

1. 自分自身(または商談担当者)の商談結果を分析させ、受注や失注に強い因果がある条件を出す
2. 既存リストや過去リストから1を満たす条件をピックアップし、価値訴求文面を生成AIに考えさせる
3. 1の条件で新規リストをつくるために、生成AIにソース先をピックアップさせたり、探す方法を練らせる
4. 営業コアタイムに営業活動と同時進行で1〜3を実行させることで、顧客接触時間を減らさない

▶ 解説

ターゲットは同じリストでも、シチュエーションによって、アプローチするタイミングや接触者は変わる。それを生成AIの力を借りて分析させる。コアタイムに同時進行させ、コンプライアンスも遵守する。

同じ企業でも、部署やプロダクトごとに置かれているステージは異なります。ステージが変われば、当然、その困りごとやニーズは変わりますし、同じ部署の同じ部門長に接触したとしても、タイミングや状況によって温度感が低かったお客様も、見込み客になり得るのです。

この、営業活動の至上命題ともいえるターゲティングやリストアップ作業も、生成ＡＩに受注や商談企業のデータを分析させることで、ホットなターゲットリストの条件を出してくれたり、ピックアップしやすい環境を提案してくれます。

最近では、リストＤＢを提供している会社も生成ＡＩの機能を持ち合わせて、「今、アプローチすべき会社」をレコメンドしてくれる便利なセールステックが増えています。

必ずしも対話型生成ＡＩですべての解決を目指すのではなく、セールスプロセスの課題感に合わせてフィットするテックツールを活用するのもひとつの解決策となるでしょう。

(B) 接点構築・関係維持

旧来型のセールスプロセスや標準化されたプロセスが用意されていない場合、コール数やメール送信数など、「打った数」のみが指標となっていることも多くあります。数を追う、量を最大化させることが悪いとは思いません。むしろ重要です。

しかし、アタック数至上主義となり、質や顧客体験を意識しなくなった営業活動はスマートとはいえませんし、長い目で見れば顧客離れやレピュテーションリスク（企業のネガティブな印象や評価が広まり、ブランドや信用の価値が低下して損失を被るリスク）を高めたり、営業担当者から見れば長くやり続けられる業務や環境ではないとレッテルを貼られてしまう可能性があります。

インテリジェントセールスプロセスで目指すのは、**テンプレ営業から脱却し、営業品質を高め顧客体験を向上させるコミュニケーションを取ること**です。さらにそれを生成ＡＩやテクノロジーの力を使い、１社１社考える時間やカスタムする時間を極小化し、数も減らさずに質を高めることこそが目指す世界観といえるでしょう。

すなわち、営業生産性の向上です。

アタック数だけを追ってしまうと、顧客リストの1件1件に対して、トークや文章を個別化させる余裕がなく、テンプレ営業をせざるを得ないという状況に陥ります。

ここでポイントになるのがバランスです。アタック数を増やすことができれば、成果を高めるための母集団を形成できますし、数を増やすことでお客様の声や反応を集めることが可能になり、量質転化を実現します。しかし、行動量を増やせば増やすほど1社にかけられる準備の時間を失います。

一方、スマートで知的な営業活動を推進するには、無作為なアプローチを止め、個社ごとに仮説を立てて営業活動を推進すべきです。そのほうが、むやみやたらに断られるという心理的なストレスの解消も含めて、営業にとってもお客様にとっても相互利益が期待できます。

しかし、その一方で多くのお客様に接触するという「量的」なアタック数の恩恵を失います。

つまり、二律背反するこの2つのテーマを解消に向けて近づけていくアプローチこそ営業への改革であり生産性向上の鍵となるのです。

その上で生成AIの活用が、二律背反を雪解けする兆しになる点に着目したいのです。

例えば、生成AIを活用することで、ターゲット企業のWEBサイトや商品サイト、または関係する業界やライバルのWEBサイトに至るまで、生成AIに対象のリンクをブラウジング（閲覧）させることが可能です。

つまり、**これまで個々の前提知識や検索リテラシーといった属人的で、時間が肥大化し**

やすかった企業調査や情報収集という行為を、生成ＡＩに代わりに行わせることができるのです。

その業界や市場で起こっている課題感やトレンドと、自社商品の提供価値を組み合わせて、個別化されたキーワードや仮説を導き出します。そうすることでテンプレ営業から脱却し、「なぜ今」「なぜあなたに」「どのように役に立てるのか」という個社ごとにトークスクリプトのキーワードを生成できます。

拙著『Sales Is 科学的に「成果をコントロールする」営業術』（扶桑社）でも書きましたが、**１０００時間のリスト作り込みは「投資」ですが、１０００時間の無駄な営業活動は「浪費」です。**営業活動をしていると仕事をした気になってしまうのが、また余計にタチが悪いのです。

図3-4

ケース **ターゲット顧客にアウトバウンド営業によってアポイントを獲得する**

旧来型セールスプロセス

株式会社AI商事の今井と申します。(中略)
御社のリクルートサイトを拝見して、お役に立てると考えご連絡をいたしました。当社はAIを搭載した営業トレーニングシステムを提供している会社でございまして、営業パーソンを自動評価したり、営業ロールプレイングをAIがフィードバックしてくれるeラーニングを提供しております。
御社が営業職を採用していらっしゃるということで、営業力の飛躍的な向上を実現可能です。
ぜひ一度、情報交換のお時間をいただけないでしょうか？

▶ 解説
「なぜ今、なぜあなたに、どう役に立てるのか」を意識したようで、実は相手のことなんて"これっぽっちも"考えていないエゴ(自分本位)営業の典型。リクルートサイトを見ようが、営業職を採用してようが、営業力の強化が困っているかどうかは関係がないし、会う理由としての辻褄が合っていない。また「情報交換」という耳なじみのいい言葉でカモフラージュしても会うべき理由にならない。

インテリジェントセールスプロセス

株式会社AI商事の今井と申します。(中略)
御社の新製品のリリースを拝見しました、おめでとうございます。このリリースを拝見して、御社の新規開拓のご支援ができればと思い、ご連絡をいたしました。
といいますのも、"人的資本経営"に関連するサービスということで、タイムリーな話題である半面、競合参入も非常に盛んなジャンルだと理解しています。よく耳にするのが「製品の機能だけだと差別化が図りにくい」という話をお伺いするのですが、●●様はどのようにお考えですか？

生成AIでリリースと自社商品を関連付ける

生成AIに確認：人的資本経営に関連するサービスの営業課題は何？

生成AIに確認：人的資本経営に関連するサービスの営業課題は何？

そうでしたか。また、人に関連する情報を管理するサービスということで、一度導入するとリプレイスのハードルが上がるため、顧客開拓のスピードが重視される認識をしていますがいかがでしょうか？

ありがとうございます。そうであれば、営業による差別化や早期シェア獲得が重要なテーマだと思うのでお役に立てると考えます。御社は採用活動も力を入れているようですし、当社はAIを活用した営業人材の早期育成を支援できるサービスを提供しているので、ぜひ一度ご提案の機会をいただけますか？

生成AIに確認：同社のWEBサイトの情報から営業育成サービスが必要な仮説を立てて

▶ **解説**

お客様からしてみれば、リリースを出すというのは極端ですが「我が子を世に出す」ような気持ちもあり、リリース後の問い合わせは「繋がりやすい」という半面、その内容に敏感であり、コミュニケーションを間違えるとひどく落胆させた気持ちにさせるでしょう。だからこそ、リリースを見たから提案といった表層的なことではなく、一段階深いところで仮説を構築し、会うべき理由の辻褄を成立させたいところです。今回使った文面素材も、生成AIへの投げかけで集めることができました。

(C) 商談準備

お客様のすべてが自社の課題を言語化できているかというと、そうではありません。
また、お客様自身の課題がその組織の中で重要かつ緊急度の高い課題かといわれると、必ずしもマッチしていないことは多いものです。なぜなら、上位層になればなるほど、実務担当者が設定する目標や課題は、ひとつの手段であることが多いため、「実務責任者の課題 ≠ 経営層の課題」となるのです（目標が上位からブレイクダウンする性質があるので当然といえば当然です）。

加えて、お客様は「商品が必要だ、今困っていてどうしようもない」という状態であれば、すでに商品購入に向けて動いていたり、情報収集を始めているはずです。そうでないということは、仮に問題意識があったとしても、「解決方法としての選択肢が少ない」か「お金をかけてまで解決しようとは思っていない」など、「優先度は高くない」と考えている可能性があります。

いずれにしても言えることは、特に新規のプッシュ営業で出会うお客様は「会ったそのタイミングでは買おうと思っていない」ということになります。そうしたお客様にお役所的なルーティンの質問や表層的な質問を繰り広げるだけでは、「今、買おうと思っていない理由が言語化される」だけになり、成約への道は閉ざされます。

ここで必要なことが、お客様に「新しい気づき」を提供し、課題（解決すべきこと）を設定していただくというプロセスです。

ちなみに購買者1000名に調査したアンケートでは、「営業を受ける際、営業担当者からされる質問・会話の中で自社の問題や課題に気づかされることはありますか？」という問いに対して、〈ほぼすべての商談で気づくことがある〉が12・6％、〈まれに気づくことがある〉が79・7％、〈気づくことはまったくない〉は7・7％という結果になりました（拙著『お客様が教えてくれた「されたい」営業』フォレスト出版より引用）。

このことから、優秀な営業パーソンと出会い、商談することができれば、営業との対話を通して問題や課題が顕在化されることがあるという証明になったわけですが、「まれに気づくことがある」が約8割であることから、見方を変えれば、**ほとんどの営業パーソンは気づかせることができていない**ということでもあります。

では、そのような中、「どのような質問・会話で気づくことがありましたか？（複数回答可）」と尋ねたものを抜粋すると、

■他社（お客様のライバルや同業界）の事例を聞いたとき……29・9％（競合情報）
■自社（お客様）の業界の動向について話をされたとき……28・9％（市場情報）
■自社（お客様）の現状の課題と原因を深掘りされたとき……29・0％（自社情報）

という結果を示しました。

これはいわゆる3C分析（Customer, Competitor, Company）に関する情報ですが、お客様を主語にした3Cに関連する情報を営業が持っていると、市場とのギャップ、競合とのギャップ、自社の理想とのギャップが可視化され、課題に気づくという結果になるのです。

ここに書いてあることは、トップセールスの方々は日ごろから取り組んでいたり、これまでの体験の中から一次情報としてストックしているので、そこまで時間をかけて準備をしなくても高い仮説の精度を保ちます。

しかし、多くの営業担当者はどのように準備をしていいかわからなかったり、1社の商談仮説をしっかりやろうとすると5時間も10時間もかかってしまい、非常に効率が悪いということが発生してしまいます。

もしあなたが、アカウント担当別の営業担当であり、担当する顧客が10社しかないというシチュエーションであれば、しっかり時間をかけて分析すればよいかもしれません（それでも早いほうがよいですが……）。

しかし、新規営業活動の中で、不特定の顧客ターゲット層にアプローチをしたいというケースであれば、一定の接触数も重要になるため、商談準備時間は短ければ短いほどいいのです。

つまり、**インテリジェントセールスプロセスにおけるスマートな商談準備とは、「時間をかけすぎずに、質の高い仮説を用意する」**ということになります。

ここでポイントになるのが「生成ＡＩ」はこうした３Ｃに関連する情報を調べたり、その情報から仮説を導くのに効果的な働きを見せてくれるということです。

トップセールスが調査する視点を押さえて、プロンプトに組み込んでしまえば、極論ですが、新人や若手層もトップセールスと同じような観点で、商談の準備を短時間で実現できるようになるのです。

図3-5

ケース　月に20件の新規商談がある法人営業担当の、商談準備にかける時間の使い方

旧来型セールスプロセス

- 営業コアタイムは架電と商談に集中したいので、18時以降と休日に商談準備を行う
- 実際には1社1社丁寧に行う時間はないしWEBだけでは情報不足のため、WEBサイトを一通り見る程度
- 上場している企業等はIRなどを見る。しかし書いてあることは抽象的なものが多く仮説も抽象的になる
- 個別化された準備というよりは、商談時にお客様に聞いて状況対応に委ねる

▶ **解説**

WEBサイトの情報を軽く調べた程度で商談に臨むという場合、お客様に新たな気づきを与える営業の仮説としては弱く、新規営業で成果が出るかどうかは顧客のタイミング次第になりがち。状況対応に委ねる営業は、その人の経験や体験に依存することが多く属人的になる。

インテリジェントセールスプロセス

1. 基本的な商談準備とお客様を取り巻く3C分析やテーマリテラシーの領域は生成AIに調べさせる
2. できた「空き時間」で、社内や知人の中でその分野に詳しい人にリサーチし、耳寄り情報をGETする
3. 準備の精度を高めるために、お客様に商談のアジェンダを送ったり、事前ヒアリングを実施する
4. 営業コアタイムに営業活動と同時進行で1〜3を実行させることで、顧客接触時間は減らさない

▶ **解説**

お客様の行動変容を促すためには、お客様に新たな気づきを与える仮説や「ここだけの話」といった耳寄り情報が必要だ。生成AIを活用し、顧客起点の3C分析で深い洞察を手に入れると共に、空いた時間で生情報を仕入れる。それを生成AIに読ませて仮説の精度をさらに高める。

（D）商談

商談においても、生成AIを活用して事前準備を行うことで、個社ごとにパーソナライズされたトークやシナリオを展開することができるはずです。

セレブリックスでは度々、新規の法人営業ではお客様が「買わない理由をなくす」営業活動を推進することが重要だと説いています。

新規営業では、セレブリックスがこれまで営業代行をしてきた経験とデータで算出すると、商談の82％（新規の法人営業かつ提案型の商品の場合、商談案件化率が30％、案件化受注率が60％となる。この場合の商談受注率は18％という数字になる。つまり受注にならない確率が82％という結果をつくる）が、そのタイミングでは買わないという選択をするお客様となります。

その前提に立つと、母数の多いものに対策を図るほうが有効といえます。

では商談の中で、お客様が「買わない理由」をつくらないプロセスを推進するためにはどうすべきか。

その答えが、商談プロセスを7つに細分化し（【図3－6】参照）、そのプロセスごとに買わない理由をつくらないように先手を打って未然に防ぐか、不安や反論が生まれた時に都度是正することによって商談を前進させます。

また、「買われなかった」というマーケティングデータを集めることで、セールスプロセスにおけるターゲティングや訴求トーク、セールスツールを補完していくというのも大切な考えです。

この7つに細分化したセールスプロセスを**「コンサルティングセールスプロセス」**と呼んでいますが、こちらの詳細は拙著『Sales Is 科学的に「成果をコントロールする」営業術』で解説をしていますので、興味があればぜひご一読ください。

このセールスプロセスにおいて、生成AIを有効活用し、お客様が「買わない理由」をなくすセールスプロセスを築きあげるのが、インテリジェントセールスプロセスの役割です。

つまり、コンサルティングセールスを生成AIやデジタルを活用してスマートに推進することがインテリジェントセールスの本質といえるでしょう。

例えば、商談導入の挨拶やセットアップに当たるアプローチ。

生成AIに面談者の情報をピックアップさせたり、その情報をもとにアイスブレイクトークを用意させてみるのはいかがでしょうか？

図3-6　コンサルティングセールスプロセス

1	アカウントプラン	商談の準備
2	アプローチ	挨拶と関係構築
3	ファクトファインディング	課題設定
4	オーダーコントロール	要望の整理
5	企画作成	企画作成
6	プレゼンテーション	提案
7	クロージング	結論回収

図3-7

ケース アイスブレイクのための商談開始の雑談

旧来型セールスプロセス

改めて本日はお時間いただきありがとうございます！
いやぁ、それにしても最近異常気象が続きますね、冬とは思えない暑さですよね。

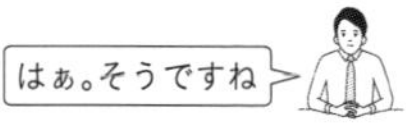
はぁ。そうですね

御社ですと、出勤と在宅勤務はどちらが多いのですか？？

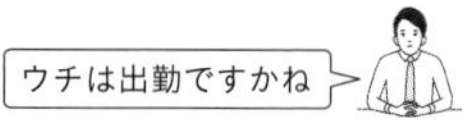
ウチは出勤ですかね

……そうでしたか、でしたら暑かったり寒かったりするよりはこれくらいの気候がいいかもしれませんね。あ、なんか脱線してすみません、それでは商談の準備をさせていただければと思います。ちなみに、当社からの営業はこれまで受けたことはございましたか……？

▶ 解説
この手の雑談は、ハマるひとは一定数いるが、残念ながら新規の法人営業では、アイスブレイクどころか大きな氷塊を作ってコミュニケーションを難しくさせる。セレブリックスの調査では、仕事に関係のない雑談をしてほしいと要望する顧客は、わずか29.1％という結果となっている。

インテリジェントセールスプロセス

改めて本日はお忙しい中ありがとうございます。
実は今日、佐藤様とお話しできることを大変楽しみにしておりました。

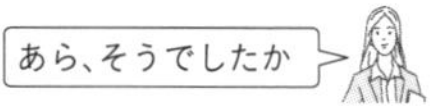
あら、そうでしたか

……はい。といいますのも、佐藤様が取材を受けた○○メディアの記事を拝見しまして、本質的な人的資本経営の考え方に強く共感を受けましたし、勉強させていただきました。

生成AIに確認：メディアAの要約と、BとCのメディアと比較して佐藤さんが重視していることは何？

ありがとうございます

実は、御社以外の企業についてもいろいろ調べましたが、経営戦略との紐づけという点に触れていたのが御社だけだったので、ちょうど弊社でもこの辺りを色々調査していたので大変学びになりました。

細かくご覧いただきありがとうございます。まさに私たちの考え方は（略）

とんでもないことです、それでは改めて本日お伺いした目的から整理させていただきます。

▶ 解説

新規の法人営業で戦略的なアイスブレイクを実現するためには、ビジネスシーンにおける「公開情報でホメちぎる」か共通項を見つけることだ。特にお客様自身が推進しているプロジェクトや発信情報については反響に敏感になっているはず。お客様が話したい話題の振り出しが雑談の糸口に。

図3-8

ケース　費用対効果が合わないという言葉への反論対策

旧来型セールスプロセス

今回の内容だと費用対効果が
合わないかなぁ・・・

そうでしたか、仰ることはわかります。ただ当社は現在キャンペーン中でございまして、今月中に意思決定をしていただければ、現在の金額の20%OFFまで勉強することができます。ぜひ、前向きにご検討いただけませんか？

20%OFFか。まあでも営業研修の
講師もいるからね。時期尚早かもな

なるほど、そうでしたか。是非ご検討だけでもしていただければ幸いです。ちなみに結論はいつ出ますか？

▶ 解説

こちらもお客様の都合を完全無視した、エゴ営業の典型だ。そもそも費用が高いと感じているのか、効果に対して不安や不足があるのかも曖昧だ。費用対効果という言葉が、断り文句のテンプレの可能性もある。そこに対して値引き交渉でクロージングをするのは愚策である。

インテリジェントセールスプロセス

今回の内容だと費用対効果が
合わないかなぁ・・・

そうでしたか。ところで費用対効果の懸念点は、金額と効果面だとどちらが大きいですか？

すでに研修講師がいるので追加
コストの負担が気になりました

生成AIに確認：IRやリリースを踏まえ、この企業が費用対効果の懸念をだした場合の反論対策を考えよ

仰る通りだと思います。ただこれから、若手営業職を一気に増やすことと新規営業を習得させるという観点でいえば、初期教育の強化は重要なテーマなのではないでしょうか？今までの講師体制ですと、若手層の垂直立ち上げという点でシェア拡大において一定の損失は生まれないでしょうか？

たしかにそうですね、それは一理あります

御社の売上単価や粗利益を考えると、10社受注できれば相殺できる金額感ですよね。そうであれば、なるべく早く若手層が受注を獲れるような環境をつくることも大切だと思いまして……。

▶ 解説

反論対策は正面突破でお客様を否定しても行動変容は実現できない。お客様は合理の世界だけで物事の判断をしないからだ。重要なのは、お客様の言葉や、お客様が出している情報と紐づけて切り返すことである。もしくは、3Cのギャップと照らし合わせて気づかせるのだ。

特定のWEBメディアを指定して「よく言葉にする関心ごとをまとめて、アイスブレイクトークを考えて」と指示すれば、あなたの代わりに調査と提案をしてくれます。

また、お客様の属性やビジネスモデル、そして業界や想定ニーズへの仮説があれば、会社説明の内容やトークスクリプト（台本）を、個社ごとにアレンジできます。

もちろん、用意する事例やケースなども変わるはずです。

(E) 商談後

商談後の対応やフォローに対しても、インテリジェントセールスプロセスではスマートな推進が可能です。

まず効率面で大きくサポートしてくれるのが、商談の議事録作成です。

議事録の作成には、4つのメリットがあります。

- お客様に要点をまとめて送ることで、備忘録やネクストアクションが明確になりスマートである
- 自分自身の備忘録となり、提案書作成や次回の商談準備がスマートに立ち上がる
- CRMやSFA等の顧客管理システム等に入れる情報が整理され、スマートに入力が完了する
- 決められたルールの議事録ドキュメントがあれば、生成AIに学習させるデータとして使いやすい

というものが挙げられます。

しかし、この議事録を作成するには慣れるまで整理・要約などに時間がかかります。

そこで、商談の録音データ等を文字起こしできるツールやサービスとセットで利用できれば、その対話記録を要約したり、プロンプトで要約方法の指示を出せばＳＦＡ（Sales Force Automation：営業支援システム）に取り込むための項目ごとに情報を整理してくれます。

オンライン商談が普及してからは「商談の記録や企画作成のために録音をさせていただけますか？」という許可が取りやすくなったので推進しやすくなったはずです。

また、その議事録内容をベースとして、各種生成ＡＩに指示をすれば、

■フォローメールの文章作成
■社内関係者への共有議事録の作成や各種調整依頼の作成
■提案書の雛形や骨子づくり
■初回訪問で聞けていない情報のピックアップと次の商談での確認事項のリストアップ
■ネクストアクションとスケジュールを出させる（それを自身のスケジュールに入れる）
■ＷＥＢサイトなどの情報と組み合わせて、取引顧客の与信情報の整理

といったことが実現可能です。

お客様としても、対話のリレーションがスムーズになったり、コミュニケーションがタイムリーになれば体験としてスマートに感じることでしょう。

ただし、「議事録を作成する」というプロセスは営業担当者の基礎スキル向上にも貢献します。

知らない言葉を調べることで身につく知識、お客様の言葉や状態を理解しようと努めることで、顧客解像度や自分の言葉で語れる、事例やシチュエーションも多くなります。

そして、理解力・要約力・言語化力・テーマリテラシー（業界・ビジネス理解）を育む機会になるのは間違いないので、必ずしも人が行うということが効率悪かといえば、目的ありきだということを忘れてはいけません。

図3-9

ケース **新規商談を月20件担当する営業パーソンの提案書作成プロセス**

旧来型セールスプロセス

- つくらなければいけない資料でオーバースペック。過去のノートをさかのぼりながら思い出して資料作成
- すべての企業をカスタムオーダーで作成できず、案件によってはほとんど過去の提案の使いまわしで対応

インテリジェントセールスプロセス

1. 録音データの文字起こし×プロンプトで議事録作成。さらにAIに議事録から企画書の骨子を作らせる
2. 議事録内容と自社商品の提供価値を組み合わせて、提案の訴求ポイントや文言をピックアップさせる

▶ 解説

お客様に行動変容を促すためには、お客様に新たな気づきを与える。購買検討に入ったお客様は、「営業されたいお客様」に変わるため、スピードやリレーションが重要になる。加えて商品の強みや優位性は顧客の課題と紐づけるのが吉。生成AIで実現可能。

ケース **お客様の購買検討プロセスに合わせた「買わない理由」をなくす未然対策**

旧来型セールスプロセス

- 提案以降は、基本はボールをお客様に渡し、検討結果を待つ
- 他の営業担当者と被らない業界や領域のリストアップを行う

インテリジェントセールスプロセス

1. 購買検討のプロセス別に発生する、懸念事項やスタック理由を生成AIと対策し先手を打つ
2. お客様の稟議書フォーマットをいただき、その項目に合わせた回答を生成AIに出させて先方にお渡しする

▶ 解説

優秀な営業はお客様に代わって稟議書を書くというが、生成AIを使ってそれを実現する。お客様を優秀な社内営業パーソンに変える働きを実施し「買わない理由」を減らす。

用途に合わせた生成AIの活用シチュエーション

前節までは、セールスプロセスに合わせた生成AI活用方法やシーンに触れて、旧来型セールスプロセスとのBefore Afterを解説しました。

しかし生成AIを「こんな場面で利用できる」というアイデアは、必ずしもセールスプロセスや商談のフェーズ（段階）ごとで決められたルールに則って使う必要はありません。目的や用途、困りごとや行いたいことの「場面」ごとに柔軟に使ってほしいのです。

そもそも習慣というのは、行動・思考の習慣がパターン化されるのに、数十日〜数か月かかるといわれています。

今まで利用してこなかった生成AIが「習慣」になるには、それ相応の期間使い続ける必要があります。慣れるまでは「不便」と感じたとしてもです。

これまで見てきた通り、生成AIの日常的な普及率が11％から高まっていないのも習慣行動にできておらず、通常の業務プロセスに取り入れるのを断念しているから、という可

図3-10　生成AIの利用で恩恵を得やすいシチュエーション

分析	準備	相談	整理
3C分析＋2C分析	サイトやPDFの要約	(業界・商品)知識装着	商談・会議議事録
PEST分析	仮説構築・シナリオ作成	模擬商談・お手本	タスク提出・管理
SWOT分析	面談者分析・対策	悩み相談・アドバイス	骨子・目次作成
簡易的な回帰分析	資料作成	アイデア壁打ち	反論対策シミュレーション

能性も否めません。

本書に触れたあなたには、ぜひとも営業活動で生成ＡＩを活用し成果を出すという先行者利益を得ていただきたいですし、途中で断念してほしくないと強く望みます。

そこで、生成ＡＩの利用で恩恵を得やすいシチュエーションやテーマを【図３－10】を見ながら解説していきます。

「分析」で生成ＡＩを活用する

営業活動における「分析」は、全体的な営業戦略・戦術、もしくは個人や個社ごとの個別戦略・戦術をひねりだす上で非常に重要なポイントになります。

分析をせずに編み出した戦略や戦術が完全に悪かといわれると、直感を大切にしなければいけないということもあると思いますが、ここではそのような極論の話をするつもりはありません。調査の上で分析されたデータをもとに意思決定ができたほうがいいに決まっています。

既出の内容もありますが、分析における生成ＡＩの活用アイデアには次のようなものがあります。

〈営業組織で行う分析〉

■受注した企業のデータを取り込み、成果要因（決着案件の失注理由）に影響が大きいものを

出す

■営業活動のデータを読み込ませ、問題点や課題を分析する（組織別／人別）

■営業活動のデータを読み込ませ、成果に差が出やすいプロセスを分析させる

■商談の録画データ、録音データを読み込ませて、問題や課題を分析させる（フィードバックする）

■営業戦略、戦術のアイデアを練る上での、3C分析／PEST分析／SWOT分析／5フォース分析

〈営業担当者個人が行う分析〉

■自身の目標達成におけるセールスプロセスの問題や課題を抽出する

■ターゲット属性の分析を行う（業界／産業／トレンド／法律・経済／エリア等）

■商談先を起点とした各種分析（3C分析／PEST分析／SWOT分析／5フォース分析）

一般的な分析と評価のアウトプットを要望するだけであれば、読み取りやすいデータと条件をプロンプトとセットにすることで、一定の結果や情報に納得感を抱けるはずです。

しかし、注意しなければいけないのは、**より「自社」「自分」にフィットしたフィードバックやアドバイスを求めるためには、事前に学習させるデータや観点をプロンプトなどにセットする**必要があります。

例えば、営業担当者全員のセールスプロセスの課題を分析させ、適切なフィードバックを求めるのだとすれば、あなたの会社でのベースとなるセールスプロセスの基準値を持っていなければいけません。

コールコンタクト率が15％、コンタクトアポ率が15％、商談案件化率が30％といったように、できるだけ具体的な相場を持つことで、分析の精度は高まります。

また、各プロセスにおいて、数字が低迷している場合はどんな要因が考えられるかということもセットで生成ＡＩに学習させておくことができれば、より具体的なフィードバックを実現できるでしょう。

そうした教師データ（学習させる情報）や観点を【図３－11】のようにプロンプトで設定したり、各種生成ＡＩサービスの拡張機能などを利用してデータセットをするイメージです。

図3-11

Anonymous

あなたは営業に明るいデータアナリストです。
#目的に従い、#定義に基づいてこのデータを分析してください。
またその際、ロジックツリーを分析の観点に組み込んでください。
#目的
アポイント数を最大化するため、テスト太郎・テスト次郎・テスト三郎、それぞれの問題や課題を設定すること
#定義
コール：不通/コールのみ/不在/受付ＮＧ/資料送付(受付)/コンタクトの合計
不通：電話自体が繋がらない
コールのみ：コール音はするが誰も出ない
不在：キーマンが不在だと受付から言われる
#ロジックツリー

- コール数がショート
  - デイリーのコール目標は明確
    - 時間あたりのコール目標は明確
      - 架電にかける時間が足りていない
        - コアタイム中に架電以外の業務を行っている
          - 所要時間を短縮する
          - コアタイム外の時間で会議を設定する
      - 報告作業や締め作業をコアタイムにも実施している

#データセット

年/月	担当	コール	不通	コールのみ	不在
2020年3月	テスト太郎	2111	19	25	1391
2020年3月	テスト次郎	1615	3	55	951
2020年3月	テスト三郎	2102	25	94	118

「準備」で生成AIを活用する

営業活動における「準備」は、電話・メールや手紙、ダイレクトメール等の文書作成・商談・提案といった、具体的なお客様とのコミュニケーションや営業活動で発生する行為のため、イメージがしやすく身近に感じやすいのではないでしょうか。

また、対象はお客様とのコミュニケーションだけに留まらず、会議の準備、社内交渉の準備など様々な場面で登場します。

いずれにしても、「準備」の必要性が生じる場面には理由も存在しているはずです。

(1) 成功確率を高める……準備があることで障害を予測して対処ができる。先手を打てる

(2) 効率を高める……準備によって本番や作業の流れがスムーズになる

(3) 自信を持つ、不安を取り除く……逆に言えば不安を取り除いたり、緊張を軽減する効果がある

(4) 学習や成長に繋げる……準備過程で新たなことを学んだり、スキルを向上させることができる
(5) 影響力を高める……説得力を持ち、周りのサポートを得られる。支援者を募る準備ができる
(6) 柔軟性を持つ……万全の準備があってこそ予期せぬ状況で柔軟な対応力を発揮できる

といったものが挙げられます。

「営業は準備が9割」といっても大袈裟にならないくらいには営業活動において準備は重要です。

インテリジェントセールスプロセスを実現するためには、会社説明も事例の活用も質問内容も提案や訴求トークもその企業（企業の導入推進者）に対して個別化（パーソナライズド）されたコミュニケーションを取ることが重要です。

その個別化を実現する情報は「準備」によってこしらえることができるものなのです。

営業活動における準備としては次のようなことが挙げられます。

〈生成ＡＩを活用した、営業担当者が行う準備の一例〉

Ａ）商談する企業の「あるある情報」「最近の話題」を調査してトークシナリオを設計する

Ｂ）商談する企業（アタックする）の業界やビジネスモデルの情報収集

Ｃ）商談する企業の導入事例把握

Ｄ）商談する企業のＩＲ情報／採用情報／リリース情報／記事など対外活動での情報収集

Ｅ）商談する企業のライバルの情報収集（ＩＲ／採用情報／リリース情報／記事）

Ｆ）商談する企業の業界、産業のレポートや論文を要約して情報をインプット

Ｇ）Ａ～Ｆを踏まえた仮説の設定

Ｈ）Ａ～Ｇを踏まえた仮説に基づく質問リストやトーク展開の想定

Ｉ）面談者の人となりや関心事がわかる、採用インタビュー／取材記事などを要約してインプット

Ｊ）上記面談者情報をもとにアイスブレイクを目指したオープニングトークの設計

Ｋ）Ａ～Ｊを踏まえた商談資料のアレンジ／提案書の作成／事例の準備

「準備」というテーマにおいては、A～Kもその一部でしかありません。商談確度を高めるために、様々な準備の場面で生成AIは貢献してくれることでしょう。

「相談」で生成AIを活用する

生成AIを有効活用できているかどうかで差がつくのは「相談」です。

私は、ビジネスを推進していく上で困ったことがあればすぐに生成AIに相談を投げかけます。本書を書くにあたっても何度、生成AIにアイデアをもらったか数えきれません。実際に私が講演や営業支援の中で生成AIの利活用に関して「相談」の使い方をご紹介すると、多くの方が驚かれます。

例えば、相談は次のような方法で使用します（わかりやすいようにプロンプトなどは用いない、会話ベースでのやり取り例をご紹介します）。

図3-12

AIさん、質問があります。

僕は明日、「物流・運送業」向けの業務改善SaaSを提供している会社に営業に行くんだ。だけど、「物流・運送業」の業界について、そんなに詳しくないので、2022年～2024年までの業界のホットな話題や、関心度が高いことを教えてくれないかな？

条件は、10個挙げること。そして、中学生でもわかりやすいような簡単な言葉と言い回しで教えてください。


物流・運送業のホットな話題や関心事を10個、中学生でもわかりやすい言葉でまとめます。
※以下省略

ありがとうございます。

それではこの10個のテーマを、ランダムで一つずつクイズにして出題してもらえますか？

回答は完全一致でなかったとしてもニュアンスが合っていれば正解としてください。不正解だったものは、優しい解説を私にフィードバックしてください。

1　自分が「何がわからないのか」を把握するために相談する

お客様先の業界や商品のことを、よく理解できていない時にこの相談はよく行います。

またクイズ形式で出題してもらうことで、わかった気になったことの防止や自分が答えられないところを重点的に学習できるのでおすすめの活用方法です。

必ずしも、商談前に取り入れることだけではなく、例えばターゲットの業界などが決まっている場合などであれば、オンボーディング（初期教育の手ほどき）のプログラムに取り入れるのもよいでしょう。

2　模擬商談の相手役・相談役になってもらう

こちらも非常におすすめです。

いわゆる営業ロープレのお客様を生成ＡＩに担当してもらい、模擬商談におけるアドバイスやフィードバックをもらって、本番に臨むという活用方法です。

通常であれば、上司や先輩を相手に実施するのが一般的ですが、忙しい方になればなるほど時間を確保しにくかったり、人によってフィードバックしてもらえる内容がバラバラになってしまうことがあります。

しかし、プロンプト等を用いて、フィードバックの観点などを押さえれば、非常に使い勝手がいいのです。

次のページの【図３－13】のような対話のラリーを行うことで、反論対策や訴求内容として不足な点がよくわかります。

なお、簡単なお客様役で実施すれば、ＦＡＱ（よくある質問）の応対練習にもなります。そしてさらには【図３－14】のように営業役とお客様役を交換するのも有効な手です。

図3-13

今から営業の模擬商談をやります。私が営業役であなたがお客様役です。
これからあの手この手で弊社サービスの魅力を伝えていきますので、これは素晴らしいと思うもの以外は、とにかく理由をつけて断り続けてください。その反論に私が対策をしていきます。
条件は次の通りです。(※中略　あなたの扱う商品／お客様の設定などを条件にする)
それでは、あなたの質問から模擬商談はスタートとなります。質問をお願いします。

それでは質問します。eラーニングはすでに導入していますが、新たに買い替える必要がある点はどのようなことが考えられますか？　教えてください。

はい、ありがとうございます。(以下省略)

図3-14

先ほどと同じ商品、同じお客様役の条件は変えずに、私とあなたで役割を交代します。私がお客様となって、あなたの提案や訴求を断り続けます。方法や伝え方を変えながら、めげずに反論対策を行い続けてください。私の反論をきっかけにスタートします。

はい承知しました。反論をお願いします。

AIを搭載しているeラーニングとのことですが、それくらいで営業スキルが上がるとは思えません。

おっしゃる理由はよくわかります。しかし、AIを搭載した営業スキルのトレーニングを行うことは、次の3点から営業スキルの向上に役立つと考えています。(以下省略)

この役割逆転の素晴らしい点は、**「お客様の気持ちがわかること」**と**「新しい価値訴求のパターンに出合える」**という点です。

私たちが考えている訴求トークや反論対策は、「売り手思考」がどうしても入ってしまいます。お客様の立場に立つことで、「独りよがりの自己満提案」に気づくきっかけとなることでしょう。

3 より多くのアイデアを出してもらう

営業の場面では、様々なシーンでタイトルや文章を考える必要が出てきます。タイトル作成の代表的なシーンでいえば、

- ■メールのタイトル
- ■イベント（セミナー、ウェビナー、交流会、勉強会）のタイトル
- ■提案書のタイトル
- ■販促資料のタイトルやテーマ、キャッチコピー
- ■電話、メール、手紙、販促資料、ダイレクトメールのキャッチコピー

文章についても、上記タイトルが必要なものと関連して概要やボディのメッセージや文章作成が必要になります。これらを生成AIに相談して、代わりに考えてもらったり、文章を作成するためのキーワードを抽出してもらうのです。

ちなみにセレブリックスでは提案書のタイトルを魅力的かつ効率的に考えるため、スライド資料の非表示部分にタイトル作成用のプロンプトを用意しています（【図3－15】参照）。これによって、人やセンスに頼り切らない提案書作成の仕組みを整えています。

この考え方を応用すれば、提案書のタイトルだけでなく、お客様の顧客情報やデータごとに合わせた、イベントの招待状を作れたり、関係維持のためのフォロー連絡の文章を考えることができます。

今回挙げた「相談」の用途は一例にすぎませんが、このような活用方法を知ることができれば、あなたの課題に合わせた様々なアレンジが思いつくのではないでしょうか。

図3-15　生成AIを活用した提案書作成

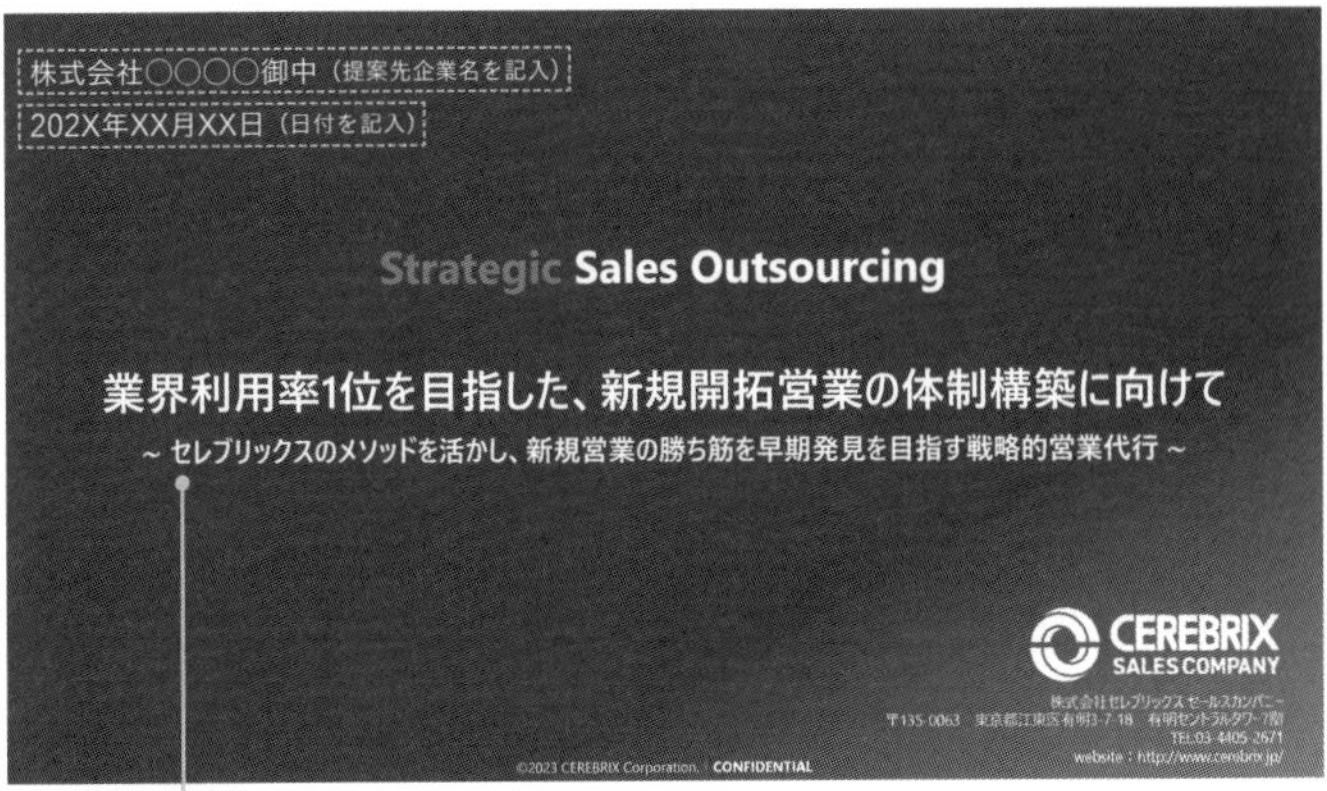

Guide コマンドプロンプト

下記の#トピックに書かれている内容で、提案書のタイトルを考えたいです。お客様が魅力的に感じるようなコピーをメリットではなくベネフィットで考えてください。なお、出力の際は #条件 を参照してください。

#条件
・30字以内で出力してください
・5パターン出すこと
・なるべく「。」を使うこと
・私たちが売る商品は営業代行サービスです
・弊社の営業代行は「新しいサービスの売れる確率を高める」「人が採用できない課題に、プロを目指す人材を通して営業組織を垂直立ち上げできる」「コストを変動費化できる」という便益があります

#トピック
どんな企業にどんな提案予定なのか書いてください

資料の非公開スライドにあらかじめプロンプトがいくつも書かれている

普段の作業の流れの中でAIに相談

↓

センスに頼らない提案書が作成可能に！

「整理」で生成AIを活用する

ここからは、情報を整理する、要約する、整えるといったシチュエーションでの活用方法を紹介します。おそらく、多くの方が生成AIの中でも想像しやすい使い方になるのだと思いますが、この整理も非常に奥深い利活用のアレンジがあります。

オーソドックスなものからスパイスを一振り加えたものまで、いくつかそのアイデアをご紹介していきます。

●商談/会議内容の議事録を作成させる

本書でも度々出ている使い方なので、詳細は割愛します。商談（会議）の録音データを文字起こしできるサービスや、アプリケーションとセットで活用します。最近では、無料で文字起こしできるスマホアプリなども充実してきています。

● **議事内容を項目ごとに整理しアウトプットさせる**

データセットや条件設定によって、議事録の内容を理想の形式で出力させることが可能です。これによって、CRMやSFAの入力項目に合わせた整理をさせることができれば、顧客管理システムに入力する工程はズバ抜けて質が高まるはずです。これを開発した人は、その会社でヒーローになれます。

● **議事録や商談データ、その他の情報を与えた上でタスクを洗い出す**

与えた情報や条件から、自身が取り組むネクストアクションやタスクを洗い出させます。

● **契約書の内容を自分の言葉で理解し納得する**

難しい言葉で書かれたお客様と結ぶ各種契約書や覚書を、「中学生でもわかるような言葉や言い回し」でアウトプットさせなおします。

● **翻訳し正しく理解する**

英語や日本語以外の言葉を翻訳して、正しい理解と把握を行います。

●ＲＦＰ（提案依頼書）を代わりにつくる

ＲＦＰとはRequest for Proposalの略で、「提案依頼書」のことです。

大手企業等からの提案依頼があり、複数企業とのコンペがある場合は、このＲＦＰの条件を踏まえて提案を作成するというのが一般的です。これが、新規のアウトバウンド営業になれば、お客様は購買検討に入っていないので、このＲＦＰというものがありません。

そこで営業担当者が質問、傾聴、啓蒙、示唆などを与えることで、お客様に認めてもらえた課題設定を整理し、お客様のＲＦＰを代わりに整理する役割を担うのです。

それがお客様、つまりは導入推進者が社内営業で利用するキラーコンテンツになっていくのです。

以上、このセクションでは、生成ＡＩ活用のシチュエーションについて解説しました。

第4章

生成AIから「欲しい回答」を引き出すポイント

生成ＡＩに質問してはみたものの、「欲しい答えが違うんだよな。自分で考えたほうが早いかも……」そう思って画面を閉じてしまった経験はないでしょうか？

実はプロンプト（ＡＩへの指示文）を入手・活用しても、多くの人が生成ＡＩ系のサービスの利用につまずきます。

それは一問一答形式でやり取りを終えてしまうことや、どんな追加質問をすれば欲しい回答に着地できるのかというイメージができないことが原因です。それは、「最初のプロンプト〜欲しい回答にたどり着く」という一連の流れや、解説が多く出回っていないことが一つの要因であると考えています。

生成ＡＩの活用は、単に1回のやり取りや一問一答で終わるものではありません。ＡＩとは会話の「ラリー」、つまり継続的なやり取りを行うことが非常に重要です。

本章で解説する、「14種類のツボを押さえて、欲しい情報を引き出す」と「ラリーの応酬で生成ＡＩと脳内を同期させよう」が、生成ＡＩ活用のエンジンになれたら幸いです。

生成ＡＩの回答を理想に近づけるためには「ツボ」がある

生成ＡＩにもそれぞれの特徴があり、そのバージョンによっても精度は異なるものの、理想とする回答に近づけるアプローチや手法というものは大きく変わりません。

もっと言ってしまえば、相手に自分が伝えたいことを「正しく理解してもらう」ということの本質は、人でも生成ＡＩでもさして変わらないと私は考えます。


このセクションでは、初心者から生成ＡＩを日常的に利活用するまでの基本となる「ツボ」を14種類に分けて解説していきます。

それでは、１つずつ詳しく見ていきましょう。

ツボその1 具体的な情報や指示を与える

抽象的ではなく詳細な回答が欲しいときは、生成ＡＩに具体的な情報や指示を与えます。しかし、１行程度の簡単な質問だと、どうしても表層的でフワッとした文章で返ってくることが多いです。

生成ＡＩに出す指示が細かいほど、具体的な返答が得られる可能性が高まります。

具体的な指示のイメージは、以下の例をご覧ください。

プロンプト例①：回答の量をリクエストする

■〇〇について「簡単に説明してください／詳しく説明してください」

■商談のコツを箇条書きで５つ挙げてください（【図４－１】参照）

■ＳＤＲとＢＤＲの違いについて、２００字前後で教えてください

プロンプト例②：手順やステップを教えて欲しいときはリクエストする

■業界分析方法について5つのステップに分けて教えてください

■資料作成の手順を教えてください

プロンプト例③：具体例を伝える

■中学生でもわかるように教えてください

■その業界について知らない人でもわかるように教えてください

質問する際のポイントとしては、簡潔な質問を心掛けることです。一度に複数の質問を与えすぎると、回答精度が落ちる可能性があります。

また、プロンプトで使用している用語（ITやマーケティング用語など）を実は意味を間違って覚えていたとか一般的ではなかった、そもそも社内用語だった……といったケースで、わかりやすい指示を与えられていないというパターンもあります。そうした場合は、一度検索し、認識している意味と合っているか、正確な表記かどうかを確認しましょう。

図4-1

You

商談のコツを箇条書きで5つ挙げてください

生成AI

もちろんです。以下は商談の際に役立つコツの一例です

1. **情報収集と分析**
   - 商談相手や企業について事前調査を行い、相手のニーズや要望を把握します
   - 相手のビジネスモデルや業界動向について理解を深め、具体的な課題や機会を見つけます

2. **相手のニーズを理解**
   - 聞き手に徹し、相手の立場や視点を理解します
   - 相手の課題やニーズに焦点を定め、どのような提案がそれらを解決するかを示します

3. **Win-Winの提案**
   - 提案内容を明確かつ具体的に伝え、相手にとって利益となる提案を心掛けます
   - 双方が得ることのできるWin-Winの関係を築くことを目指します

4. **コミュニケーションのスキル**
   - 聞き手のフィードバックに注意を払い、質問を通じて対話を深めます
   - 自分の意見や提案を明確かつ自信を持って伝えるスキルを磨きます

5. **柔軟性と調整**
   - 商談の途中で状況が変わる可能性があるため、柔軟性を持ちながら対応します
   - 相手の反応や要望に応じて、戦略や提案を調整することが重要です

ツボその2 どんなアウトプットの形式がいいのかを明確にする

生成ＡＩに特定のタスクを依頼する際に、どのようなかたちで情報を受け取りたいかを明確にしましょう。その際に、生成ＡＩに回答形式を指定しておくと楽です。状況に合わせて適切な出力形式を指定してみてください。

指定例：
箇条書き／文章形式／表形式／Q＆A形式／ダイアログ形式／要約形式／スクリプト・シナリオ形式／チェックリスト／フローチャートや概念図／比較表／タイムライン／メール・手紙形式／ストーリー・物語形式／レビュー／評価

試しに「インサイドセールスとフィールドセールスの業務の違いを表形式で教えてください」と指示してみてください。次のページのような回答が得られると思います（図4－2）。

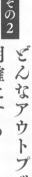

図4-2

You

インサイドセールスとフィールドセールスの業務の違いを表形式で教えてください

生成AI

以下は、インサイドセールスとフィールドセールスの業務の違いを表形式で示したものです

項目	インサイドセールス	フィールドセールス
客先訪問	主に電話やオンラインチャットで取引を進める	顧客やクライアントのオフィスや現地を訪れる
顧客接触	主にリモートやデジタルコミュニケーションを使用	対面で直接顧客と対話し、関係を築く
営業エリア	主にオフィス内で作業し、リモート営業が主流	外出して顧客を訪問し、商談やプレゼンテーションを行う
コミュニケーション手段	電話、メール、オンラインミーティングなど	対面での会話や商談、電話やメールも併用
顧客開拓	インターネットやソーシャルメディアを活用したリサーチ	ネットワーキングやイベントでの新規顧客開拓
担当案件の規模	小規模な取引やリピートビジネスが多い	大規模で複雑な取引や企業との戦略的な提携が多い
効率重視	効率的なプロセスやテクノロジーを活用し、数多くの顧客と同時に対応	顧客との深い関係構築や信頼の構築を重視
技術スキル	テクノロジー、デジタルツールのスキルが必要	対面でのコミュニケーションやリレーションシップ構築が得意

この表は一般的な傾向に基づいており、企業や業界によってはインサイドセールスとフィールドセールスの役割が組み合わさることもあります

ツボその3 「主語」を細かく定義する

生成AIに営業に関する質問をする場合、「営業の……」と入力すると、BtoC営業と解釈して回答されることが多くあります。BtoBとBtoCはターゲットの行動フローや営業手法などが大きく異なりますので、もしBtoB営業の内容でアウトプットして欲しい場合は、プロンプトに「BtoB営業の……」と明示するようにしましょう。

以下は「営業」で伝えた場合の回答と、「BtoB営業」で伝えた場合の回答です。

プロンプト例①：「営業」のみで質問した場合（図4－3）

■私は日本で営業をしているのですが、重要な点を教えてください

プロンプト例②：「BtoB営業」で質問した場合（図4－4）

■私は日本でBtoB営業をしているのですが、重要な点を教えてください

図4-3 「営業」で質問した場合

You

私は日本で営業をしているのですが、重要な点を教えてください

生成AI

営業を成功させるためには、いくつかの重要なポイントがあります。以下は、営業活動を効果的に進めるための一般的なアドバイスです。具体的な業種や製品によって異なる要素もありますので、参考程度にしてください

1. **顧客理解とニーズ理解**
   - お客様のビジネスと課題をご理解ください
   - お客様のニーズや期待に応えるソリューションを提供できるようになりましょう

2. **信頼構築**
   - 信頼関係を築くことが非常に重要です。今後、信頼性のある営業スタイルを心掛けましょう

3. **継続的なコミュニケーション**
   - 顧客との定期的なコミュニケーションを通じ、ニーズの変化や新たな機会を捉えましょう

4. **消費分析**
   - 競合の動向や製品について冷静に、自社の強みを活かす戦略を構築しましょう

5. **価値提案の明確化**
   - 製品やサービスの独自の価値を明確に伝え、顧客にとってのメリットを強調しましょう

6. **効果的なプレゼンテーション**
   - 製品やサービスをわかりやすく説明し、顧客を慎重にするための効果的なプレゼンテーションをしましょう

図4-4 「BtoB営業」で質問した場合

You

私は日本でBtoB営業をしているのですが、重要な点を教えてください

生成AI

BtoB営業は、企業同士の取引を対象とする営業活動です。成功するためには、いくつかの重要な点に注意する必要があります。以下は、BtoB営業で重要な要点です

1. **顧客理解とニーズの把握**
   ・顧客のビジネスや産業について深く理解し、その中での課題やニーズを把握することが重要です。顧客の視点からアプローチすることで、提案がより受け入れられやすくなります

2. **信頼構築**
   ・長期的なパートナーシップを築くためには、信頼関係の構築が不可欠です。誠実さ、信頼性、約束の実現など、信頼を築く要素に注力しましょう

3. **問題解決提案**
   ・顧客が抱える具体的な課題や問題に対して、効果的かつ独自の解決策を提案することが重要です。商品やサービスの利点を具体的に示し、顧客の課題解決に寄与することが期待されます

4. **競合分析**
   ・競合他社の動向や提供している製品・サービスについて理解することが必要です。競合との差別化ポイントを強調し、自社の強みをアピールすることが競争力を高める手段となります

5. **適切な情報共有**
   ・チーム内での情報共有が円滑であることが重要です。営業活動に関する情報や顧客のニーズに関する情報を適切な人々と共有し、協力して取引を進めましょう

6. **顧客サポートとアフターサービス:**
   ・取引が成立した後も、顧客サポートやアフターサービスを提供することが大切です。顧客が安心して取引できるようにサポートすることで、リピートビジネスの機会が広がります

7. **データ分析と改善**
   ・営業活動のデータを分析し、成果を評価して改善点を見つけることが重要です。データ駆動型のアプローチを取り入れ、戦略を最適化しましょう

これらのポイントに留意することで、BtoB営業活動を効果的かつ持続可能なものにすることができます

ツボその4 目的やゴールをしっかり明文化する

生成ＡＩに質問をする時、質問の目的やゴールを設定していますか？　そして言葉で伝えられるようにしていますか？

「その質問をして何をどうしたいの？」がわからないと、生成ＡＩもいい回答を出すことができません。

生成ＡＩに質問を投げかけると同時に、自身に質問の意図と目的は何か自問自答をすることで、常に目的意識を持ついい練習にもなります。そして目的さえ伝えることができれば、自分が出せていない手法や発想までリードして提示してくれます。

以下で試してみましょう。プロンプトは「ＢtoＢ営業チームが新しいクライアントを効果的に開拓する方法を教えてください」と質問事項はそのままに、「目的」を入れた場合と入れなかった場合での変化に目を向けていきましょう。

プロンプト例：

■BtoB営業チームが新しいクライアントを効果的に開拓する方法を教えてください

（図4－5）

要望：BtoB営業に関するアドバイスを提供してください
阻止条件：具体例を省略して10項目を提供すること

（図4－6）

目的：BtoB営業チームが新しいクライアントを効果的に開拓するための戦略を提供する
要望：最新の市場動向を分析し、ターゲット顧客の特定、アプローチ方法、関係構築の戦略を提案してください
交渉条件：明確で実践的なアドバイスを10項目提供すること。業界用語を避け、簡潔にまとめること

図4-5　目的を明確に伝えなかった場合

You

BtoB営業チームが新しいクライアントを効果的に開拓する方法を教えてください

要望：BtoB営業に関するアドバイスを提供してください

阻止条件：具体例を省略して10項目を提供すること

生成AI

BtoB営業チームが新しいクライアントを効果的に開拓するためのアドバイスを以下に示します

1. **ターゲット市場の冷静な調査**
   - 例：産業トレンド、売上競争、およびクライアントのニーズを把握する
2. **パーソナライズされたアプローチ**
   - 例：クライアントの業界や特定の課題に焦点を定め、提案をパーソナライズする
3. **駆動データのアプローチ**
   - 例：データを分析して、知覚的な警戒客を特定し、重点的にアプローチする
4. **ソーシャルメディアの活用**
   - 例：LinkedinやX（旧Twitter）などのプラットフォームを使用して、クライアントとのつながりを持ち、信頼を築く
5. **クライアントの課題解決への焦点**
   - 例：クライアントが驚く具体的な課題に焦点を定め、製品やサービスがどのように解決できるかを強調する
6. **リファラルプログラムの構築**
   - 例：既存のクライアントからの紹介を促進するためのプログラムを構築し、リファラルな新規ビジネスを獲得する
7. **ネットワーキングイベントへの参加**
   - 例：業界イベントやセミナーに積極的に参加し、他の企業とのネットワーキング機会を探る
8. **教育的なコンテンツの提供**
   - 例：ウェビナーやホワイトペーパー、クライアントに価値ある情報を提供し、専門知識をアピールポイントにする
9. **無料トライアルやデモの提供**
   - 例：一定期間の無料トライアルやデモを提供し、クライアントが製品やサービスの価値を実感できるように
10. **長期的な関係の構築**
    - 例：契約締結後も継続的なサポートや改善提案を行い、クライアントとの長期的な信頼関係を築く

図4-6　目的を明確に伝えた場合

You

BtoB営業チームが新しいクライアントを効果的に開拓する方法を教えてください

目的：BtoB営業チームが新しいクライアントを効果的に開拓するための戦略を提供する

要望：最新の市場動向を分析し、ターゲット客の特定、アプローチ方法、関係構築の戦略を提案してください

交渉条件：明確で実践的なアドバイスを10項目提供すること。業界用語を避け、簡潔にまとめること

生成AI

1. **市場分析とニーズ特定**
    - 最新の市場動向を表し、市販の成功事例から学びましょう
    - クライアントの業界における特定の課題やニーズを把握しソリューションの提供に焦点を当てましょう
2. **ターゲットの絞り込み**
    - ターゲットとなるクライアントを明確にし、特定の分野や地域に重点を絞りましょう
    - みんなの成功事例から学び、似たような企業にアプローチすることで、効果的なクライアント獲得が期待できます
3. **価値提案の明確化**
    - 自社の製品やサービスの価値を明確に伝え、お客様にとってのメリットを強調しましょう
    - 解決の具体的な選択肢を強調することで、クライアントの無関心を無視できます
4. **デジタルマーケティングの活用**
    - ソーシャルメディアやオンライン広告などのデジタルチャンネルを活用して、クライアントにアプローチしやすい形を採用しましょう
    - ターゲティング広告を使用して特定の企業にリーチすることで、顧客獲得の確率が高まります
5. **教育と専門知識の共有**
    - クライアントに対して業界の最新情報やトレンドに関する教育を提供し、信頼を勝ち取りましょう
    - 専門的な知識を共有することで、クライアントとの関係を構築しやすくなります
6. **ネットワーキングイベントへの参加**
    - 業界関連イベントやネットワーキングイベントに積極的に参加し、新たなビジネスチャンスを見つけましょう

・顔を合わせることで信頼感が生まれ、クライアント獲得の際に有利になります

7. **パーソナライズドなアプローチ**

・クライアントに対して集中性のある、個別に合わせたアプローチを採用しましょう

・お客様のニーズや要望に応えて調整し、信頼感を構築します

8. **迅速なフォローアップ**

・クライアントとのコミュニケーションが発生した場合、素早いフォローアップが重要です

・質問や意見に対して誠意を持って対応することで、クライアントの意見を考えます

9. **実績の強調**

・過去の成功事例やクライアントの評価を積極的に共有し、信頼性を高めましょう

・クライアントが過去に解決された課題や得られた成果を知ることで、新規獲得がしやすくなります

10. **柔軟性と調整**

・クライアントのフィードバックを受けて柔軟にアプローチを調整し、提案を最適化しましょう

・変化する市場状況に応じて戦略を調整し、常に最良の結果を求めましょう

ツボその5 「不足している情報があったら教えて」と初めから示唆しておく

生成AIでメール文の校閲やタスクの洗い出しを依頼する時、最初から**「不足している情報があったら教えて欲しい」**と一文を添えておくと不足点もセットで教えてくれます。

また、4のツボと組み合わせて「目的達成のために不足している部分があったら教えて」と伝えるのもおすすめです。

プロンプト例：

■これから新システムの社内定着に向けて実施するべきことを考えていきたいです。どんなことを注意するべきかアドバイスをお願いします。目的は、適切な業務の進め方を実行することによって迅速かつ精度の高い新システムの社内定着を実現することです。目的を達成するための情報が足りない場合は、不足している情報を質問してください

ツボその6

生成AIの情報は「開発国優位」を意識する

対話型の生成AIのサービスは、何も指示をしないと『英語圏の情報』を前提とした回答が返ってくることがあります。そのため、質問する際には**「日本の○○です」**と伝えるのがおすすめです。

特に生成AIサービスのバージョンが最新でないもの（ChatGPT-3.5など）は伝えたほうが正確性が増します。

プロンプト例：

■私は電子決済サービスの営業を担当しています。日本の九州エリアの小売店事業者様に営業活動を行う上で最低限知っておくべき、知らないと失礼にあたる知識を教えてください

ツボその7　一つでも「いい回答」があればそれを採用して再度出しなおさせる

生成ＡＩからアイデアをもらう際には、一問一答で終わらせるよりも、回答からいいアイデアを一つでも抽出して、さらに広げていくのがおすすめです。

プロンプト例：（図４－７）

■営業系のウェビナーイベントのタイトル候補を10個挙げてください

例：生成ＡＩから「a,b,c,d」と回答が来て、ａの回答だけ筋がよかったら……

■ａが素晴らしいです。ａのようなものをもっと出してください

このような返答をすることで、精度が上がっていきます。

図4-7

You
営業系のウェビナーイベントのタイトル候補を10個挙げてください

生成AI
もちろんです。営業系のウェビナーイベントに適したタイトル候補を以下に挙げます

1.**「営業の極意：最新戦略と実践テクニック」**
2.**「デジタル時代の顧客関係構築術」**
3.**「営業成績アップへの道：効果的なコミュニケーションと戦略」**
4.**「B2B営業の成功法則：ケーススタディと分析」**
5.**「営業の心理学：顧客心理を理解するためのヒント」**
6.**「CRMツールの最適活用法：営業効率を高める秘訣」**
7.**「営業チームを強化するリーダーシップの秘訣」**
8.**「営業プレゼンテーションの極意：効果的なプレゼンテクニック」**
9.**「ＳＮＳを活用した新時代の営業戦略」**
10.**「顧客ニーズの見極め方：データ駆動型アプローチ」**

これらのタイトルは、現代の営業手法や戦略、顧客関係構築、リーダーシップなどに関する内容をカバーしています。ウェビナーの目的や対象者に応じて、これらのタイトルを活用していただければと思います

ここに注目！

You
ありがとうございます。8がいいですね。どんな思考を経て8を挙げてくれたのか教えてください

生成AI
「営業プレゼンテーションの極意：効果的なプレゼンテクニック」というタイトルを選んだ理由は以下の通りです

1. **重要性の認識**：営業において、プレゼンテーションは非常に重要な要素です。顧客を説得し、製品やサービスの価値を伝えるための主要な手段として機能します
2. **普遍的な関心**：ほとんどの営業担当者がプレゼンテーションスキルを向上させることに関心を持っているため、このテーマは広範な聴衆に響く可能性が高いです
3. **実践的アプローチ**：「効果的なプレゼンテクニック」という部分は、具体的なスキルや戦略を提供することを示唆しています。これは参加者が実際に役立つ、実践的な知識を求めている場合に特に有効です

4. **専門性と教育的価値**：このタイトルは専門的な知識と教育的価値を提供することを強調しています。営業プレゼンテーションの「極意」を学ぶことは、参加者にとって魅力的で価値のある経験となるでしょう
5. **市場の需要**：現代の営業環境では、プレゼンテーションスキルの向上は常に需要があります。特に新しいテクノロジーやプレゼンテーション手法の出現により、常に最新の情報を求める需要があります

これらの点を踏まえて、このタイトルは営業系ウェビナーイベントにふさわしいと考えました。参加者が実践的なスキルを学び、即座に仕事に活かせる内容を期待していることを考慮しています

ここに注目！

You

ありがとうございます！　この5つの思考プロセスをもって「営業プレゼンテーションの極意：効果的なプレゼンテクニック」にニュアンスが近いタイトルを、なるべく言葉は重複しないように気を付けてあと3つ出してください

生成AI

もちろんです。ニュアンスを保ちつつ、言葉を重複させないように考えた「営業プレゼンテーションの極意：効果的なプレゼンテクニック」に近いウェビナーイベントのタイトルを以下に挙げます

1. **「成功へのキーポイント：究極のセールスプレゼン戦略」**
2. **「セールスパフォーマンス向上の秘訣：プロのプレゼンスキル」**
3. **「顧客を魅了するセールスプレゼン：効果的戦術と手法」**

①最初にアイデアをたくさん出してもらう

②回答からいいものを抽出し、質をフィードバックする

③質のいい回答からまた量を増やす

このような流れで生成AIとやり取りを重ねて、アイデアの質をどんどん上げていきましょう。

ツボその8

情報をクロスして生成ＡＩに考えさせる

ＰＥＳＴ分析や３Ｃ分析など、ターゲットの情報分析を時短できたらとてもありがたいですよね。こういった分析も生成ＡＩに考えさせることができます。そして**ただ分析させるだけではなく、情報をクロスして生成ＡＩに考えさせることでさらにヒントが得られます**。以下の例をご覧ください。

プロンプト例：（図４－８）

■①製造業界のＰＥＳＴ分析をしてください

■②分析して出した事実情報をもとに「製造業界の製造ライン責任者」の立場で、それらの外部環境をどのように捉えているか出してください

■③その上で「製造業界の製造ライン責任者」が悩んでいることを優先度順に箇条書きで出してください

図4-8　目的を明確に伝えた時

You

①製造業界のPEST分析をしてください
②分析して出した事実情報をもとに「製造業界の製造ライン責任者」の立場で、それらの外部環境をどのように捉えているか出してください
③その上で「製造業界の製造ライン責任者」が悩んでいることを優先度順に箇条書きで出してください

生成AI

①製造業界のPEST分析

1. **政治**
   - 政府の規制や法令の変更
   - 貿易政策の変動
2. **経済**
   - 経済成長率の変動
   - オフラインレートの不安定性
3. **社会（ソーシャル）**
   - 労働市場の変化と人材の確保
   - 消費者の嗜好の変化
4. **技術（テクノロジー）**
   - 技術の進化に対する対応
   - 自動化とデジタル化の影響

②製造業界の製造ライン責任者の立場での考え方

1. **政治**
   - 政治の変化に敏感に対応し、コンプライアンスを確保
   - 政府とのコミュニケーションを強化して政策変更の影響を把握
2. **経済**
   - 変動する経済状況に適応し、コスト管理を強化
   - リスクをヘッジし、国際取引の影響を最小限に抑える
3. **社会**
   - 労働力の確保とスキルの向上に焦点を定め、従業員の状態を管理を強化
   - 消費者の動向を分析して製品の調整と新製品の開発を検討
4. **技術**
   - 最新の製造技術への投資を検討し、製造ラインの効率を向上
   - デジタル化を進めて生産プロセスの透明性と迅速な意思決定を推進する

③製造業界の製造ライン責任者が悩んでいる (優先順)

1. **労働力の確保とスキルの向上**
   ・正しい技術を持った労働力を確保するための戦略の構築
2. **経済状況への適応とコスト管理**
   ・変動する経済状況に柔軟に対応し、製造コストを最適化する手段の検討
3. **技術の導入とデジタル化**
   ・最新の製造技術の導入とデジタル化による効率向上の実現
4. **市場への変化の対応**
   ・消費者の好みや市場の変化に敏感に対応し、製品ラインの調整と新製品の開発
5. **政府への規制の順守とコミュニケーション**
   ・政府が決めたことへの順守と変更への対応策の確立との政府との積極的なコミュニケーション確保

ツボその9

「誰を演じさせるか」「どんな振る舞いをさせるか」が重要

生成ＡＩにどんな役回りを演じさせるのか、振る舞いをさせるのかによって、回答の内容は異なってきますし、理解しやすい表現などを取捨選択してくれます。「あなたはプロの営業です」のように生成ＡＩに役割を与えると良いといわれています。しかし、役割を与えるというのはこれだけではありません。

例えば、「あなたは反対の立場で批判的な意見を出してください」と、あえて反対意見を出してもらうように指示するのもおすすめです。

プロンプト例：（図4－9）

■私は今、営業の業務の中で成果が出ずにつまずいています。人望のある上司の立場で励ましてください

図4-9

You
私は、今営業の業務の中で成果が出ずにつまずいています。励ましてください

生成AI
営業での成果が出ないと感じる時は、大変辛いですね。しかし、どんな職業でも挑戦と困難はつきものです。ここで大切なのは、失敗から学び、それを次の成功につなげることです。あなたの努力は必ず実を結びます。一つ一つの小さな成果を大切にし、ポジティブな姿勢を保ち続けることが重要です。あなたのこれまでの努力を誇りに思い、自信を持ってください。あなたならきっと乗り越えられますよ

You
私は、今営業職をしているのですが、成果が出ずつまずいています。人望のある上司の立場で励ましてください

生成AI
営業で成果が出ない時期は、誰にでも訪れるものです。あなたの努力はしっかりと見ています。営業は結果だけが全てではありません。日々の顧客とのコミュニケーション、製品やサービスに対する理解、そして何よりも、お客様のニーズを深く理解しようとする姿勢が大切です。

今は結果が見えにくいかもしれませんが、この経験はあなたを一段と成長させる貴重なものです。失敗を恐れず、前向きに挑戦を続けてください。そして、どんな小さな成功も大切にしましょう。その一つ一つが、大きな成果へと繋がっていくのです。

あなたのような頑張り屋さんを私は誇りに思います。私たちはチームです。一緒に乗り越えていきましょう。あなたなら絶対にできます。信じていますよ

ツボその10

「違うな」と思ったら、「どんな指示をすればいいか」を考えさせる

生成ＡＩの回答が「ちょっと違うな……」と感じたら、次にどんな指示をすればいいかを生成ＡＩに聞くというのも有効です。

これを実践するには、質問の目的や意図、自分の求める回答のイメージを事前に言語化しておく必要があります。

どうすれば欲しい回答をもらえるか、そのためにどんな情報や指定があるといいのかを伝えることで、生成ＡＩに考えさせるのです。

プロンプト例：（図4－10）

■営業の特徴を箇条書きで5つ挙げてください

追加の要望：

■ありがとうございます。それぞれの特徴をもとに、新人向け資料の文言として落としたいです。このままだと文献感があり、もう少し平易な表現かつ実践的なものに置き換えて内容をリッチにしたいのですが、どんな追加指示をするべきでしょうか？

他の推奨方法例：

■あなたは決裁者の立場です。検討における重要なポイントを教えてください

■あなたは製造業界の製造ライン責任者です。日常における時間の使い方や悩み事を教えてください

■なんでも否定的なものの見方をする購買者になって、私の提案に反論を出してください

図4-10

You
営業の特徴を箇条書きで5つ挙げてください

生成AI
営業の特徴を箇条書きで5つ挙げます

1. **コミュニケーション能力**：営業は顧客との円滑なコミュニケーションが不可欠です。良好な対人スキルや伝達能力があり、相手のニーズや期待を理解し、効果的な情報を提供できることが求められます
2. **誠実さと信頼性**：信頼はビジネスにおいて極めて重要です。営業は誠実で信頼性があり、約束を守り、顧客との関係を築くために信頼を構築する努力を怠ることはできません
3. **問題解決能力**：営業は時には複雑な状況や課題に直面します。顧客のニーズや課題を理解し、適切な解決策を提案できる能力が求められます
4. **自己管理と計画能力**：営業はしばしば自己管理が求められ、ターゲット達成のために計画を立てなければなりません。時間管理が重要であり、優先順位をつけながら業務を進めるスキルが必要です
5. **競争意識と向上心**：営業は競争の激しい環境で働くことが一般的です。成功するためには競争意識があり、自己向上心を持ちながら新しいスキルや知識を獲得し、市場の変化に適応できる柔軟性が必要です

追加の要望

You
ありがとうございます。それぞれの特徴をもとに、新人向け資料の文言として落としたいです。このままだと文献感があり、もう少し平易な表現かつ実践的なものに置き換えて内容をリッチにしたいのですが、どんな追加指示をするべきでしょうか？

生成AI
新人向けの資料として、以下のような文言やアプローチを考えてみましょう。文言はできるだけ平易かつ具体的な例やシチュエーションを交えることで、実践的な理解を促進できます

1. **専門性と専門知識**
   - 「新人の君、まずは業界や製品について深く知ろう！ 君のお客さんがどんなビジネスをしているか理解することが大切だよ。例えば、彼らが抱える課題やニーズを知ることで、提案がしやすくなるんだ」

2. **長期の取引サイクル**

・「取引って結構長いことかかることがあるんだ。焦らず、お客さんとじっくりと関係を築いていこう。例えば、最初のコンタクトから契約が成立するまでのステップをイメージしてみてね」

3. **関係の構築とネットワーキング**

・「新しい友達を作る感覚でいこう! お客さんとの信頼関係は大事だから、こまめに連絡をとったり、彼らのことを知ることがポイントだよ。例えば、彼らが趣味で何に興味を持っているかを聞いてみるといいかもしれないね」

4. **ニーズの分析とカスタマイズ**

・「お客さんはみんな違うから、同じ提案じゃダメなんだ。彼らの欲しいものや必要なものをよーく聞いて、それに合わせて提案しよう。例えば、特定の機能が欲しいのか、それともコスト削減が必要なのかを知ることが大切だよ」

5. **複雑な意思決定プロセス**

・「意思決定って時にはちょっと面倒くさいことがあるんだ。でも、お客さんが何を考えているか、お客さんの立場になってよく考えてみよう」

ツボその11 一問一答ではなく、「ラリー」でたどり着く意識を持つ

生成AIをうまく活用できていない人の「あるある状態」として最も多いのが、**プロンプトによる質問を1回入力しただけで、最高の回答を得られると求めすぎているというパターン**です。

気持ちはわかりますが、それは大変もったいないことです。

人との意思疎通でも同じことが起こるはずです。あなたの考えを部下や同僚、上司に多くを言わなくてもわかってもらえるようにするためには、相応の会話のラリーがあるはずです。プロンプトもフィードバックすればするほど、アウトプットの質は高まります。

ただし、ラリーを繰り返して教育した内容は、スレッドが変わってしまうと生成AIとコミュニケーションを取る前に近い状態にリセットされてしまうので注意が必要です。

そこで私がおすすめしているのは、**ラリーの中でよく使う考え方や情報に名称をつけて**

名前と構造を生成ＡＩに覚えさせられるようにしておくことです。

例えば、売上を上げる要素のロジックツリーをテキストを用いて生成ＡＩに応えさせていたとします。これを、

今出してもらった売上を上げる構造のロジックツリーを「売上構造ロジックツリー」と名前をつけます。

今後、この名称を記載したらいつでも呼び出したり、参照できるようにしてください。

また、他のスレッドでも使う可能性があるので、この構造を別スレッドにコピーしてすぐに取り出せるように、テキストで出力してください。


といった形で、「売上構造ロジックツリー」をスレッド内や、他のスレッドに貼り付けて、

「製造業」における売上を上げるためのロジックツリーをつくりたいです。

次の「売上構造ロジックツリー」を参照に、製造業特有の業界の情報も加えてロジックツリーを作り出してください。

といった指示を出し、条件欄に「売上構造ロジックツリー」のテキストをペーストして活用します。

このように一度深めたラリーを、そこで終わらせないようにするという工夫も大切です。

ツボその12 時間がかかる作業を時短してもらう意識で「今のところ」は使う

生成ＡＩは素晴らしい可能性を秘めているものの、現段階で過度な期待をしてしまうとギャップがあります。悪いところを見つけようと思えばキリがありません。そこで今は、**自分でもできないことを実行してもらうのではなく、自分でもできるけど「時間が掛かる作業を時短してもらう」という意識を持って使うことをおすすめします。**ＡＩの技術進化は日々著しいものの、完全自動化にはまだ及びません。そのため、現段階では「半自動化」の要領で使うほうが使い勝手がいいといえるでしょう。

ツボその13 まずは「生成AIで遊んでみる」ことから始める

生成AIは正直、すぐに使いこなせるようになるツールではありません。様々な指示をチャレンジし続けた人が傾向や要領を掴み、業務の時短に繋げています。ここまでいろいろなコツを書いてきましたが、まずは慣れる、1行や短文でもいいので使うことを習慣にすることが重要です。理想の回答を導き出そうとすると挫折しやすいので、気軽に悩み相談やメールの校閲などから試してみるのがおすすめです。会食先、旅先の相談などから始めてみるのはいかがでしょうか？

〈補足編〉

ツボその14 生成AIの「#」は「項目の粒度」を指しているもの

生成ＡＩを利用する時に、「＃」を使っているプロンプトを見て「どういう意味だろう？」と思ったことはありませんか？　生成ＡＩの利用においては、マークダウン記法（特にＩＴ業界や技術職でメジャーな情報を表記するルール）がよく採用されています。

「＃」はマークダウン記法において見出しの階層を意味します。ただ文章を書いて伝えるよりも「＃」や「＊」を用いたマークダウン記法を使って指示を出すほうがＡＩ側も利用者の意図を理解しやすく、回答の精度もアップします。

「＃」＝項目の見出し　として使うことができます。

＃：大項目「部」
＃＃：中項目「章」
＃＃＃：小項目「節」

「生成ＡＩが有効な回答をしない」とあきらめるその前に

前セクションでも触れたように、生成ＡＩを日常の仕事にうまく取り入れている人とそうでない人の差に、「1回のやり取りですべてを完結させようとしていない」というスタンスが挙げられます。言い換えれば、生成ＡＩの特性を理解した上で、過度な期待を寄せないということでもあります。

世の中に出回っている**生成ＡＩの活用Tipsや衝撃のシーンは、いわば最高峰の「切り取り」**です。ＡＩの支援やＡＩサービスを提供する事業者が、日夜それに没頭することができて、その切り取りをイベントやＳＮＳで披露しているわけですから、あなたの生成ＡＩの回答や出力と違いが出てしまうのは仕方がありません。

例えば、あなたの身近に存在する「検索」という行為に置き換えて想像してみませんか？

まず、同じ「検索」という行為でも、リテラシーや経験、想像力によって検索の精度とスピードには大きな開きが出るはずです。どのような言葉を打ち込めば、理想とするWEBサイトにたどり着けるか、その精度に差が発生するはずです。

その上で求めた回答にたどり着けなかった時にどのような行動を取りますか？

おそらくあなたは、検索ワードを変更したり、追加するなどして再度チャレンジするのではないでしょうか？

生成AIも同じです。ところが生成AIは、まだ日常的に業務プロセスに組み込まれていなかったり、習慣化していないことが多いため、一度の回答で満足がいかなかった時に、使用者があきらめてしまうケースが多いのです。

生成AIを一問一答のマシーンとして利用するのではなく、思考を深める、アイデアを広げる検索の上位概念と捉えて活用していくといいでしょう。

さて、このセクションでは生成AIとラリーの応酬、つまり今回のケースでいえば「対話のやり取り」を通して、理想の回答に近づけるために、【図4-11】を活用しながら、構造的に生成AIとの対話の掘り下げ方を理解していきましょう。

図4-11　対話ラリーフローチャート

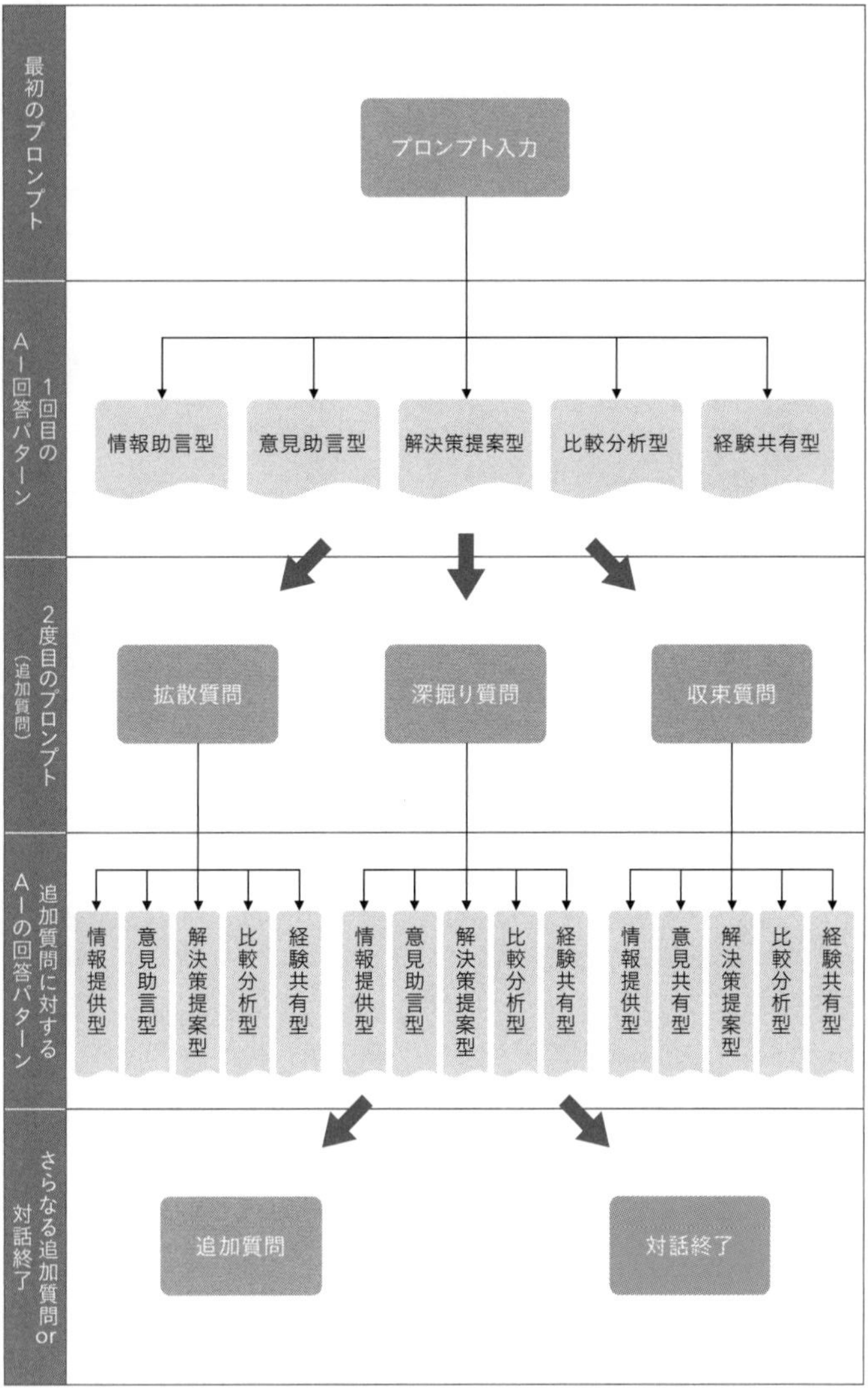

1　初期プロンプト

まずは、簡単なものやプロンプトのテンプレを用いてAIとの対話を開始しましょう。次の3つを指定するだけでも回答精度が向上します。

■指示（何をして欲しいのか）
■役割（あなたは○○として振る舞ってください）
■アウトプット形式（箇条書き、表形式など）

2　1回目のAI回答パターン

AIの回答を、大きく5つのタイプに分類しました。網羅している、というよりは頻出のものを選定し分類分けしています。

（A）情報提供型
（B）意見助言型

(C) 解決策提案型
(D) 比較分析型
(E) 経験共有型

では、この5つも順に見ていきましょう。

(A) 情報提供型

様々な手段やリソースを用いた情報提供型での回答です。

情報提供型の回答を引き出す質問例
「○○を教えてください」「○○を説明・解説してください」

AIの回答例
「最新の研究によると、この分野での主要な発見は次の通りです……」
「過去に同様の事例があり、その時は以下のような結果が出ました……」

「現在の市場動向は次のように分析されています……」
「この問題は、特定の文化的・社会的背景を考慮すると、次のような理解が得られます……」

(B) 意見助言型

特定の観点や立場、情報リソースに基づいた意見やアドバイスをする形での回答です。

意見助言型の回答を引き出す質問例

「あなたはプロの営業コンサルタントです。■■の状況における最適解を教えてください」

AIの回答例

「この問題に対する最適なアプローチは次の通りです」
「この状況においては、次のステップを踏むことをおすすめします」
「法的な観点からは、次のような対処が求められます……」

(C) 解決策提案型

具体的な解決策の実行について提示する形での回答です。「助言型の回答」に対して、「具体的に教えてください」と指示するなど、具体策を求めた際に多く見受けられます。

解決策提案型の回答を引き出す質問例

「この状況を改善するためにどんな手段が考えられますか?」

「この問題を解決するために何を提案しますか?」

AIの回答例

「この問題に対する実用的な解決策としては、以下のアプローチを提案します……」

「創造的な解決策として、次のような新しいアイデアが考えられます……」

(D) 比較分析型

物事の比較や事象の分類について提示する形での回答です。

比較分析型の回答を引き出す質問例

「AとBを比較した場合、どちらが優れていますか?」
「この二つの事業戦略の間にどのような根本的な違いがありますか?」

AIの回答例

「オプションAとBを比較すると、Aはこの点で優れていますが、Bは別の利点がありま
す……」
「もしAが真実なら、次のような推論が成り立ちます……」

(E) 経験共有型

特定の見解を提示する形での回答です。

経験共有型の回答を引き出す質問例

「あなたは△△業界の○○です。その立場でこの質問に対する回答をお願いします」

「過去の類似ケースから何を学べますか？」

AIの回答例

「△△業界の○○としての立場から見ると、〜で」

「過去にこの業界で起きた類似の変化を見ると、次のような教訓が得られます」

2度目のプロンプト（追加質問）
〜AIの回答パターンからラリーを深める〜

この時点で、あなたと生成AIは一度以上のやり取りをしている状態です。1度目の質問に対する回答で、期待値を満たすことはレアケースです。一度返ってきた内容に対しての追加指示や質問を通じて、目的達成を目指します。

図4-12

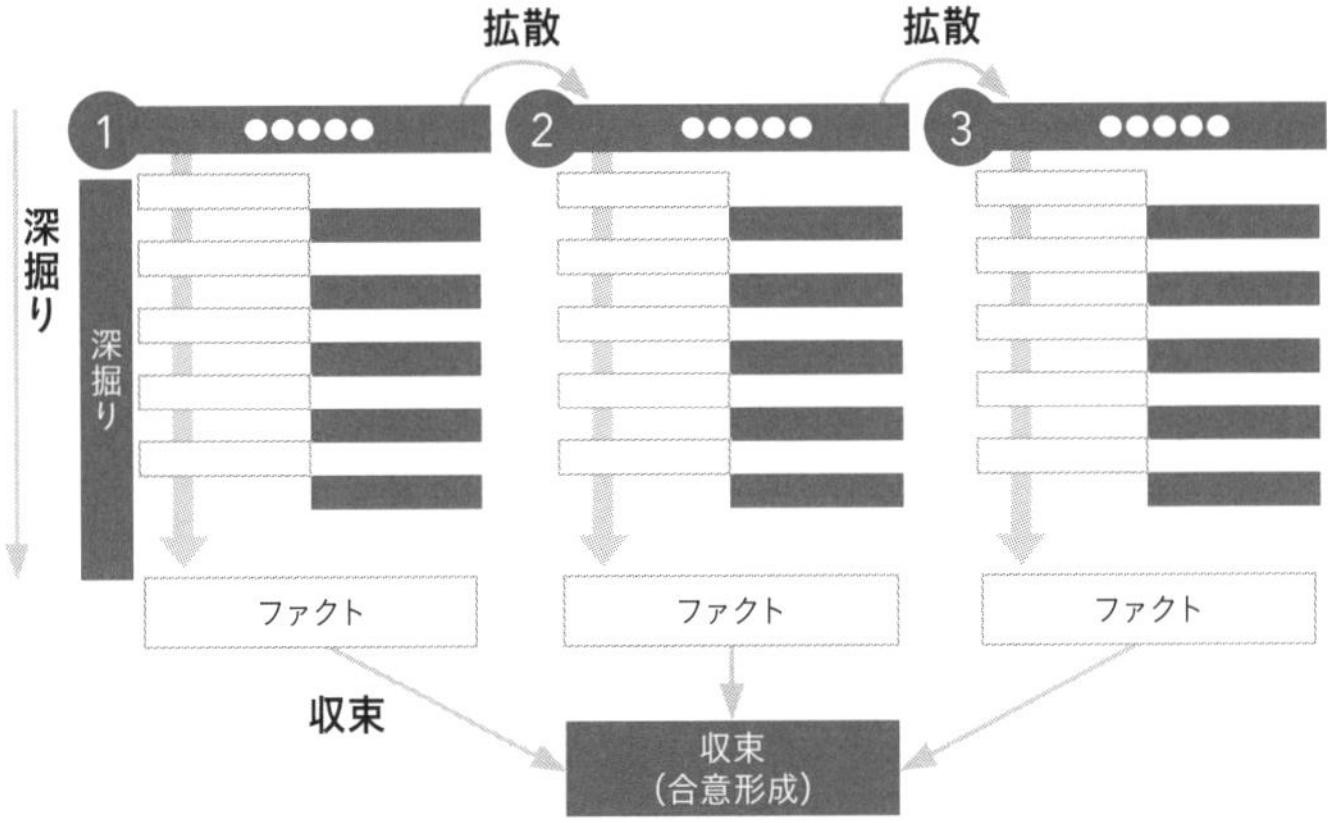

引用：株式会社セレブリックス【顧客開拓メソッド™】コンサルティングセールスプロセス ファクトファインディングより抜粋

生成AIへの質問によって、理想の回答を得る際に用いるのは、**「商談においてお客様のお困りごとや理想を伺い、課題を設定する」プロセス**に似ています。

セレブリックスではお客様の客観的事実を把握し、**課題を設定するプロセスのことを「ファクトファインディング」**と呼んでおり、セールスプロセスの中でも最重要プロセスと位置付けています。

このファクトファインディングにより、お客様の顕在的な問題意識やニーズから潜在意識にアプローチする際に活用する「拡散」「深掘り」「収束」という3つの技法があります。

■拡散：話題を拡げる（拡散質問）

■ 深掘り：話を掘り下げる（深掘り質問）
■ 収束：情報を取りまとめる（収束質問）

このプロセスをイラストで表現するなら【図4－12】のようになります。

拡散とは話題を拡げることですから、話を横に展開していくイメージです。

深掘りは、特定の話を深く掘り下げるタテの関係性にあります。

そして、掘り下げた情報群を取りまとめたり、因果関係や相関関係を持たせるなどして整理していくプロセスが収束となります。

この「深掘り」「拡散」「収束」を生成ＡＩが出した一次回答に対して、話題を拡げていき掘り下げるべき項目の特定を行ったり（拡散）、対象の情報の内容を濃く仕入れたり（深掘り）、集まった情報を整理させる（収束）を行っていくとよいでしょう。

話題を拡げる「拡散質問」の6つのパターン

広範な情報や視点を集め、多様な選択肢やアイデアを探るための質問です。いくつかのサンプルパターンをご紹介します。

● **情報拡張パターン：多角的視点で幅広い情報を収集し、理解を深める質問**

質問例

「他にどんな見解がありますか？」

「このトピックの異なる側面は何ですか？」

「さらに関連する情報はありますか？」

● **経験比較パターン：異なる経験を比較し洞察を得るための質問**

質問例

「似た状況で他にどんな結果がありましたか？」

「異なる文脈での成功事例はありますか？」

「他の企業はこの問題をどう解決しましたか？」

● **創造性探求パターン：新たなアイデアや方法を探るための質問**

質問例

「この問題に対してまだ誰も思いついてないアプローチは何ですか？」

「異なる業界で見られるユニークな解決策は？」

● **比較要求パターン：他オプションとの比較や評価をするための質問**

質問例

「オプションAとBのメリットとデメリットは何ですか？」

「この二つの方法を比べるとしたら、どのように比較できますか？」

● **経済的・市場探求パターン：市場動向や経済的影響を探るための質問**

質問例

「現在の市場トレンドはどう影響していますか？」

「経済的な観点から、この戦略の利点は何ですか？」

● **文化的・社会的洞察要求パターン：文化・社会的背景の理解を深めるための質問**

質問例

「この問題は文化的にどのように受け止められていますか？」

「社会的な観点から、どのような影響が考えられますか？」

拡散質問の利用タイミングによって期待できる効果は変わります。質問の前半や初期段階においては、アイデア出しや観点出しなど会話の起点として役立ちます。対話を進めた後半では、発想の転換や「他の観点がないか？」など、考えるべき事項の抜け漏れ確認に役立ちます。

話を掘り下げる「深掘り質問」の4つのパターン

一度目の生成ＡＩの回答に対する情報やアイデアについてさらに深く掘り下げ、詳細や理解を深めるための質問です。こちらもいくつかのサンプルパターンをご紹介します。

● **意見深掘りパターン：ＡＩの回答した意見や見解、その根拠を探るための質問**

質問例

「その意見に至った理由は何ですか？」

「その見解に影響を与えた要因は何ですか？」

「あなたの意見を支持する証拠はありますか？」

● **歴史的洞察パターン：過去の事例からの教訓を探るための質問**

質問例

「過去にこのような状況があった場合の対応は？」

「同様の事例での教訓は何ですか？」

● **推論探求パターン：推論や結論の根拠を明らかにするための質問**

質問例

「その結論に至った論理的な過程は何ですか？」

「その推論を支持する根拠は何ですか？」

「この仮説はどのように検証されていますか？」

● **法的／規範的探求パターン：法規範に基づく指導や解釈を求めるための質問**

質問例
「この法的な問題における標準的な対応は何ですか？」
「規範的な見解では、どのような対処が推奨されますか？」

深掘り質問の利用タイミングによって期待できる効果は変わります。

質問の前半や初期段階においては、早期に対話テーマを絞ることが可能になり、対話終了までの時間短縮に役立ちます。**仮説を確かめたり、仮説の根拠を裏付ける情報を集める際には有効**です。対話を進めた後半では、前半までの対話内容をさらに掘り下げ、情報を階層で整理するなど情報の取りまとめに役立ちます。

情報を取りまとめる「収束質問」の2つのパターン

対話を特定の結論や解決策に向けて導くための質問です。質問ではないですが、具体的な指示を行う場合もこちらで包括します。

● 事象具体化パターン：アドバイスや情報を具体的にどう適用するかを確認する質問

質問例

「このアドバイスを具体的な行動計画にどう落とし込めますか？」

「これまでの相談内容を踏まえ、結論を出してください」

「提案されたアイデアを実現するステップを教えてください」

「ここまでの内容を優先順に並び替え、アクションプランとして整理してください」

「この理論を実務に応用する方法は何かありますか？」

「ここまで挙げていただいた内容を優先順に並び替え、アクションプランとして整理してください」
「この解決策を効果的に実施するためのヒントはありますか？」

●取りまとめパターン：AIとのやり取りを整理するための質問

質問例
「ここまでのやり取りを要約してください」
「最新の情報を〝まとめA〟として記録し保管してください。私の指示で取り出せるようにしてください」
「ここまでのやり取りを他者に説明することを想定して、説明文を生成してください」

収束質問の利用タイミングによって期待できる効果は変わります。質問の前半や初期段階においては、情報の定義付けや仮決定を進めるのに有効です。早い段階で言葉や情報を定義付けすることは、その後のやり取りや生成ＡＩに情報を創造させる上で役に立ちます。対話を進めた後半では、それまでの流れを踏まえた結論を出させるのに役立ちます。この時点で、得たい回答を取得できている場合は利用を終了しましょう。

また、対話を継続する場合は求めている回答まで①～③を繰り返しましょう。

①他の視点を問うなど、話題を広げる
②拡げた話題の中から特定の点を掘り下げる
③情報を具体的にまとめる・要約させる

様々な質問方法や回答スタイルを理解し、ＡＩとの対話を通じて目指す回答にたどり着くようにしましょう。

拡散・深掘り・収束と生成ＡＩの回答パターンの組み合わせ

最後に、３つのＡＩへの質問と５つのＡＩの回答パターンと掛け合わせた図を掲載します（【図４－13】参照）。様々な質問方法や回答スタイルを理解し、ＡＩとの対話を通じて目指す回答にたどり着くようにしましょう。

図4-13

	拡散質問	深掘り質問	収束質問
情報提供型	幅広い情報源からのデータや事実の提供	特定の情報やデータの詳細や背景の解説	直接的な情報やデータを用いた具体的な指示や結論
意見助言型	多様な意見や視点の提示	意見やアドバイスの根拠や理由の説明	意見やアドバイスに基づく具体的な行動指針や結論
解決策提案型	異なる解決策やアプローチの提示	解決策の詳細な分析や根拠の説明	解決策の具体的な実施方法やステップの提案
比較分析型	異なるオプションやアプローチの比較	特定のオプションやアプローチの深い分析	最も適切なオプションやアプローチの推奨
経験共有型	様々な事例や経験の共有	特定の事例や経験の詳細な解説	特定の事例や経験に基づく具体的な推奨や指針

引用:株式会社セレブリックス【顧客開拓メソッド™】シリーズ

第5章

営業組織で「インテリジェントセールス」を普遍化するために

「リーダー」が本気にならないと「インテリジェントセールス」は普遍化しません。

営業担当者が趣味の延長で生成AIを利用しだしても、組織の理解や支援がなければその効果や有効性は半減します。

独学での取り組みや一人で実証実験を繰り返すだけでは、生成AIを活用したセールスプロセスの改善や、ケーススタディがストックされる頻度と深度も組織的に取り組むケースと比べてスピードが鈍化することでしょう。

「インテリジェントセールス」をあなたの会社のスタンダードとして根付かせ、皆が有効活用するためにはリーダーの「セールスプロセスを変革する」という強い意志と決断、そして生成AIへの理解が必要です。

あなたが組織長や管理職なのであれば、インテリジェントセールススピリットとインテリジェントセールスプロセスを学び、セールスプロセスの変革を指揮していきましょう。リーダーシップを図る機会は「今」、まさにその時です。

あなたが管理職でなかったとしてもできることはあります。まずはあなた自身が「成功事例」としてロールモデルとなることです。

生成ＡＩのパフォーマンスやインテリジェントセールスの有効性を証明し、「真似をしたい」「やり方を教えてほしい」という同志を募るのです。インテリジェントセールスプロセス構築を志すチーム構成員によって、ムーブメントを巻き起こすことができれば、社内に多くのＡＩパフォーマーが生み出されることでしょう。社内に同志をつくりＡＩパフォーマーのムーブメントを起こしましょう。

生成ＡＩの利点やリスクを踏まえて、実証実験の結果を踏まえた、「正しい提言」が必要です。そうしたムーブメントやモメンタム（勢いや弾みをつける）を引き起こすためにも、生成ＡＩの利点だけではなく、リスクや苦手領域も知ったうえで生成ＡＩと向き合いましょう。

リーダーの役割は、生成ＡＩを活用したインテリジェントセールスの実証実験を繰り返し、「正しい提言」をもって組織を導くことが求められます。

リーダーシップは誰にでも発揮することが許される精神です。

本書を読む「あなた」のリーダーシップに火を灯すメッセージを、この章に書き起こしました。

「AI脳」を持たないマネージャーは役立たず？

〝「AI脳」を持たないマネージャーは役立たず〟。このメッセージは強烈でしょうか？言葉は強いものの、私はウソだとは思っていません。

少なくとも生成AIを取り入れたセールスプロセスを作ろうとする組織において、**マネージャーやミドル層が生成AIを「他人事」だと捉えているのであればそれは大問題**です。

しかも厄介なことに、「生成AIの力なんて借りなくてもうまくやってこられた」という生存者バイアスの強い人に限ってこうした傾向が生まれます。

自分の知らないこと、経験のないことに対する理解をあきらめ、自身の成功体験や知識を押し付けて周りの活躍を妨げる行為があれば、それはもう「思想の老害化」かもしれません。

ビジネスで危険視すべき老害と表現される現象は、年齢でやってくるのではなく、新しいことや変化への対応や姿勢によって生まれるものであり、年齢が若いマネージャーであっても思想が老害化していくという恐れは潜んでいます。

また、生成AIの必要性に理解を示しながらも、「新しいことは若い者に任せればいい」という、権限委譲〝風〟のコーチングもどきの判断の場面を目にしたことはありませんか？　もしくは自分の胸に手をあてて、少しドキッとしたらこの段階で本書に触れられたことが「ターニングポイント」になるかもしれません。

私としては、**マネージャーや管理職こそ「AI脳」を持とう**ということを強く主張します。「AI脳」は比喩表現ですので、正確には「AIを活用、またはAIの出力や対応に処理できる知識や体験を持っておこう」という提言です。

この考えは、多くの営業組織の実態に対する問題提起から生まれました。

それは、AIやデジタルの活用といった新しい取り組みは若い人たちに任せて、自分たちがそこを探究する必要はないと判断している管理職が多いということです。

自分が生成AIを学ばない理由に、「強みを活かす、やらないことを決める、新しいことにチャレンジさせる」ということは、権限委譲のように見えて聞こえはいいですが、マネージャーが生成ＡＩ活用の本質を捉えられていなければ、長い目で見てその組織は健全に動きません。

もしくは、マネジメントが機能しなくなる可能性があります。その場合、ヒト（人）がマネージャーとして高い給料をもらってそこに存在する意味はあるのでしょうか？

常に会社の中で一番生成ＡＩの情報を知っている人である必要はありませんが、生成ＡＩにおけるメリットやデメリット、リスクについて判断できる基礎知識や体験情報は備えておくべきなのです。

「マネージャーより生成ＡＩを信頼する」状態は危険

信頼とは文字通り「信じて頼る」ことです。拙著『Sales is 科学的に「成果をコントロールする」営業術』でも触れていますが、信用と信頼は似ているようで異なります。

信用とは「過去の実績や事実」に対して行うもので、信頼とは信用を源泉にして「この人に頼ってみよう」と未来に対して行うものです。つまり、**信用には実態があり、信頼は**

精神的なものです。

生成ＡＩを日常的に利用する組織において、マネジメントサイドに生成ＡＩの理解や知見がないと、営業担当者から信頼されないリスクを生み出すということになります。

インテリジェントセールスプロセスの標準化に取り組んだり、ＡＩパフォーマー育成を積極化しようとすれば、営業担当者が「事前に生成ＡＩである程度は調べた」上で、上司やマネージャーに相談したり、報告などのアウトプットをする機会が増えるでしょう。

その際に、マネージャーがメンバーに対して指導したり、フィードバックを行う際に営業担当者の脳内では「ＡＩと言ってることが違うなぁ」とか「ＡＩで調べた結果は××だったけど」という、声には出さないが、マネージャーの決断や判断を疑われるケースも発生していく可能性があります。

こうしたケースでは、マネージャーは自分の成功体験だけが「指導、フィードバック、アドバイス」ではなくなると理解する必要があります。メンバーへの説明に対して論理性がないと、納得されないのです。

最も恐ろしいことは、「マネージャーに相談しても感覚的だから、生成ＡＩに相談すればいい」となってしまうことです。この状態では、マネジメントが利いているとはいえません。

このように、生成AI時代だからこそAIの出力について討議し、コーチングする発想がマネージャーに求められているといえるのです。

営業組織を不幸にするマネジメントの3つの「無」

生成AIの活用が盛んになる際に、マネージャーが避けるべきコミュニケーションを3つの「無」として紹介します。それは、無能・無知・無謀の3つです。

●無能

「AIなんか頼ってんじゃねぇよ！　とにかく電話かければいいから！」

といったような、そもそも生成AIへの理解や活用に対して、本質を捉えていない無能的なコミュニケーションです。

「自分が知らない、わからないから認めない」といった知識や体験への既得権益が発動されています。

●無知

「私はよくわからないので、ＡＩの言う通りにしてやってみたらいいんじゃない？」

あなたが上司からこのようなフィードバックをされたらいかがでしょうか？　この人は「何も知らないんじゃないか」「自分の答えがない」という印象を抱くことでしょう。こうしたコミュニケーションが増えると、営業担当者はマネージャーに相談を持ちかけなくなります。

●無謀

「ＡＩがそう言うなら、とりあえずやってから考えれば？」

とりあえず試してみる、という習慣を否定するつもりはありません。しかし、こうしたコミュニケーションが増えれば、計画性のなさや兎《と》にも角《かく》にも行動といった、ある種の根性論や感覚論を露呈することになります。

本来はＡＩが出した出力に対して、マネージャーなりの見解や判断があって計画的にコトを進めるべきなのです。

AI活用組織になるための段階目標の描き方

生成AIの活用に限らず、最適な目標や指標を持つことが営業マネジメントには重要です。しかし、生成AIの活用における目標設定の正解や参考にする情報が少なく、苦労する実態が営業マネージャーを悩ませます。

そこで、生成AIの活用における段階的な目的と目標の参考例を紹介しましょう。

ステップ1：実証実験フェーズ（図5-1）

多くの組織がまずは自分たちの会社で生成AIを活用できるか、活用するならどのような方法かを見極める段階を作ります。実証実験のフェーズでは、目的を「生成AIの活用における方針を決める」ことと置きます。つまり、生成AIを試してみて、「本格的に取り入れる or 取り入れない」という意思決定があり、取り入れる場合は、なぜ・なんのために

図5-1　実証実験フェーズ

目的	生成AIの活用における方針を決める
目標	テストとなる実証実験のプロジェクトにおいて、生成AIを活用して非効率、非生産的な問題を解決した事例を見つける

※目安となる定量的な目標を置いてもいい

図5-2　スモールサクセスフェーズ

目的	限られたチームで成功体験を作る
目標	・非営業業務時間の10％削減 ・商談件数を生成AI前平均月数の120％にする

（Why）／何を（What）／どの組織で（Where）／誰が（Who）／いつ・いつまでに（When）／どうやって（How）を決めていく必要があるのです。

逆にいえば、この方針を定めるための実証実験を行うともいえます。

ステップ2：スモールサクセスフェーズ（図5-2）

新しいサービスや概念の普及は、それが生産性や効率性のアップに繋がることだったとしても、最初は営業現場に仕事を増やす指示をすることになります。**反発やアレルギーを組織全体で起こして収集がつかなくなる前に、特定の部門やチームで成功体験を作って、社内に広めやすい土壌を作ります。**

図5-3　全社展開初期フェーズ

目的	営業職が生成AIを便利に感じる
目標	生成AIの利用率90％

※利用率にも定義が必要

図5-4　生産AIで成果を上げるフェーズ

目的	全社で生成AI活用による生産性を高める
目標	・非営業業務時間の10％削減 ・商談件数を生成AI前平均月数の120％にする

ステップ3：全社展開初期フェーズ（図5－3）

社内の営業パーソンが、生成ＡＩを活用して成果を出すには段階的な目標が必要です。まずは営業パーソンが生成ＡＩを使ってみる、という状態に対する目標を置き、オンボーディング（慣れるためのサポート）指標を作りましょう。

ステップ4：生成ＡＩで成果を上げるフェーズ（図5－4）

生成ＡＩを活用したことで、全社で生産性をどのように高めるか目標を設定します。可能な限り定量的にモニタリング（測定）できる目標が望ましいですが、売上や受注数の目標に限定される必要はありません。なぜなら売上や受注数などを構成する要素は、生成ＡＩの活用以外の取り組みも交わって、影響力を発揮するからです。

その場合は「営業時間外の時間を１人あたり平均10％減らす」といった状態目標の設定でも構いません。ただし、ポイントは状態目標であっても「測れる」数値の目標を置くことです。

ステップ５：個別化フェーズ

日常の習慣行動になったあとは、生成ＡＩを活用するという「手段」を目標に掲げるのではなく、本来の目的に立ち返った目標を「個別化」した上で設定します。

この頃には、生成ＡＩを使いこなせる度合いも営業パーソンによって大きく差が生まれていることでしょう。したがって、営業組織や営業マネージャーは人それぞれの利用度合いや習熟度に合わせた目標の設定を行っていきます。つまり、個々人の営業目標を達成するための手段や、主目標以外のサブ目標やチャレンジ目標に組み込まれていくイメージです。

生成ＡＩの活用は「2年後の約束を果たす」ための投資

あくまで私の予想の範疇を超えませんが、生成ＡＩの活用度合いが、**営業組織としての競争優位や業績として「如実な差」として出てくるのはおそらく2年後あたり**だと考えています。

もちろん、仮説には根拠があります。

２０２３年は、まだ日常的に利用している営業担当者がわずか11％ということで、現実的には実証実験とまずは利用率の向上に重きを置いている企業が多いようです。一方で、まだ日常的に利用はしていないものの、一部の組織で試験運用を始めたり、タスクフォースなどを形成し、実証実験やガイドラインを作成した企業も11％以外に存在します。

こうした前提から考えると、本書を出版する２０２４年に生産性や効率性の向上に指標を置きはじめる企業が多くなるでしょう。おそらく、２０２４年は「営業組織の効率アップや生産性向上を実現した」というBefore Afterがビジネス系のメディアを一定賑わすことなると予想しています。

このことは、第3章でも解説した通り、採用活動で生成ＡＩやテクノロジーの取り組みに積極的な企業が優位になるというデータからも、仮説が立ちます。

一方で、本書を執筆している２０２３年12月末の今日この段階で生成ＡＩを使っている営業とそうでない営業が、２倍も３倍も成果に差があるという話はまだあまり耳にしていません。これが1年後の２０２４年末あたりになったとき、会社レベルで比較したときに信じられない差が生まれているか、というと時期尚早だと考えます（特定の行為や時間が2分の1になるといったことは発生すると思います）。

とはいえ、２０２３年の1年を振り返ると、生成ＡＩも短期間でかなり進化してきました。おそらくこれは今後も継続した進化があることを前提にすると、２年後の２０２５年末には、生成ＡＩ自体の頭の良さや利便性は、格段に上がっているのだと思います。

そうした場合に、２年後あたりには営業組織の生成ＡＩ活用のスタンダード化と生成ＡＩ自体の進歩によって、目覚ましい売上実績の向上や生産性アップの事例が増えると考えました。

それと同時に、２０２５年末のその時点から「いよいよやばい……さすがにうちも生成

AＩを始めないと……」と思う企業があったとします。

そのときは、〝進化したAＩの世界で今さら何をやっていいかわからない〟とか〝今から生成AＩを利用したところで、これまで使ってきた企業に追いつくには時間とコストが掛かりすぎる〟という現実に直面すると想定しています。

そうです、2年後に始めるのではもう遅い。**未来の競争力を手に入れるための「2年後の約束を果たす」投資が、今**なのです。

だからこそ、生成AＩの活用が短期的な成果や業績に結び付かなくても、起こるべき未来に備える必要があると考えますし、普遍化するまではリーダー、マネージャーが粘り強く発信と要望を続ける必要があると考えます。

生成AＩを活用していくことを前提としている企業の中期経営計画には、おそらく生成AＩというワードがちりばめられていくことでしょう。

第6章

「先駆者に学ぶ」インテリジェントセールスプロセス

知的でスマートなセールスプロセスは「すでに」始まっています。

生成ＡＩは様々な企業で導入され、セールスプロセスの中に組み込まれ始めています。

しかし、その具体的な活用実績や成功事例の多くは、まだ私たちの耳に入ってきていません。その理由のひとつに、そもそも生成ＡＩの活用が、競合他社との差別化やお客様に選ばれる理由をつくるための取り組みであることが考えられます。うまくいった手法や取り組みを公開してしまうと、競争力を身に付けるために取り組んだ意味がないからです。

それでは日本の営業生産性はいつまでも高まりません。

本書では生成ＡＩの活用によって、「ＡＩパフォーマー」の育成や「インテリジェントセールスプロセス」の導入が少しでも成功に近づくように、先駆者の取り組みを2パターンほど紹介します。

しかしながら、企業の体制や背景が全く同じシチュエーションということはありません。

手法論だけ切り取るのではなく、考え方や向き合い方を学びにして、抽象度を高めてあなたの営業組織やセールスプロセスでもご活用ください。

事例① ディップ株式会社

最初にディップ株式会社が行った営業×生成ＡＩ活用のケースを紹介します。

２０２３年８月、営業と生成ＡＩという分野において業界で話題を呼んだニュースがありました。

そのタイトルは〝２００以上のテンプレート、２５０名のアンバサダー―ディップ、社員３０００名のＡＩ活用を目的とした「dip AI Force」を始動〟というものです。

ディップ株式会社といえば、「バイトル」をはじめとした人材サービスが有名ですが、最近ではＤＸ事業にも力を入れている企業です。営業職が多く、営業に強い会社として認識している人も多いはずです。

そんな同社が、営業職を中心とした社員３０００人に、「生成ＡＩを活用させるプロジェクトを始動した」というのですから当然高い注目を浴びました。

しかも8月8日のニュースリリースでは、この取り組みを試験的に始めるということではなく、250人以上のAIアンバサダーが全社的に配置され、約3000人の全社員を対象にAI活用が推進される、ということが決定されたというリリースでした。営業社員の事務作業時間の約60%を削減し、商談の質の向上を図ることで、3年で営業生産性を1・8倍に引き上げる、という具体的な目標まで設定されていたのです。

生成AIを活用した、AIパフォーマー創出やインテリジェントセールスプロセスの活動報告や成果事例の情報がまだ少ないため、同社の取り組みは貴重です。

こちらについて、本書でも取材をしているので参考情報としてシェアします。

【取材にお答えいただいた方：dip AI Force 責任者 小池敏様】

■業務内容について

ディップ株式会社は、"Labor force solution company"をビジョンに掲げ、少子高齢化による労働力の減少と先進諸国の中で大きく劣る生産性の低さを解消するべく、人材サービス事業（求人情報サービス、看護・介護領域の人材紹介）、DX事業を展開しています。

■組織体制

20名からなるプロジェクトチーム「dip AI Force」を立ち上げ、8月8日に情報公開をしました。

「dip AI Force」は、「現場主導」「スピード」「全社横断」をコンセプトとしたＡＩ活用を推進する組織です。

ＡＩ活用の教育を受けたアンバサダー250人を旗振り役としてすべての部署に配置し、「ChatGPT」のプロンプトの整備などを現場と一体で進めています。すでに全従業員約3000人（内営業職約2000人）のうちほぼ6割が日常的にＡＩを活用して業務を行っています。現場主導でＡＩ活用を推進し、生産性向上に向けて取り組んでいます。

■生成ＡＩを活用した具体的な取り組み

当社の社員同士のコミュニケーションは、ほとんどがビジネスチャットツールを使用しています。

日常的に社員が利用するビジネスチャットで生成ＡＩを利用できる環境を作れば、生成ＡＩの利用を習慣化するハードルは下がります。

生成ＡＩ活用という取り組みを社員に〝増やす・課す〟のではなく、日常的に業務で行っていたことを生成ＡＩに任せて〝なくす・減らす〟ことができれば、業務効率化や営業品質は高まります。

そこで取り組んだことは、ビジネスチャット上で生成ＡＩを利用できるようなチャットボットツールを開発して、ＡＰＩ連携の上で運用にのせたことです。

その結果、全員が閲覧可能なチャンネル（チャットの部屋）で、チャットに話しかけるスタイルで生成ＡＩを利用できるようになりました。そのチャットグループでは、様々な社員が生成ＡＩと対話を重ねることで、営業に役立つ情報を集めたり、営業を便利にするためのプロンプトの開発を日常的に行っています。

情報が欲しい本人はもちろんのこと、その履歴ややり取りを見るだけで、社員の生成ＡＩ活用リテラシーは高まりますし、便利なプロンプトや情報が棚ぼた（棚から牡丹餅）システムで集まってくるのです。

その中のひとつの取り組みで、生成ＡＩを活用した営業ロールプレイング（模擬商談）が広がりを見せました。

公開されているチャンネル内で、皆が様々な条件で試したり、プロンプトを作っては更新することで、その精度が高まり、「自分たちも試してみよう」と話題を呼んだのです。顧客ステイタスをかなり細かく設定し、ロールプレイングの評価項目や評価条件を詳細にすることで、実用的なロールプレイングシステムとなりました。

現在はこのロールプレイングシステムをさらに進化させ、顧客のタイプ別や置かれている状況別のロールプレイングケースを作成するようになり、幅広い能力の開発にも繋がっています。

■生成AIの利用における Before After

営業職の商談ロープレはこれまで先輩・上司と実施していましたが、AIと音声で練習ができるようになったため、相手役の工数の削減に繋がると同時に気兼ねなくロールプレイングができるようになりました。

ロールプレイング相手役の関わる時間は、平均月10時間／1人の削減に繋がっています。

相手がいる場合のロールプレイングは、相手の知識や経験に基づくシチュエーションであったり、よくあるケースを何度も実施するというパターンが多かったようです。

しかし、相手や時間や場面を選ばない生成ＡＩとのロールプレイングは、訪問前にその業界・そのお客様を想定したロールプレイングを実施できるようになったため、早期効果を見込めます。

また以前はフィードバックの内容が、相手の知識量や営業スタイルによって「違い」が発生していましたが、生成ＡＩとのやり取りだからこそ、常に一定のフィードバック精度が担保され、生産性も高まっています。

■具体的な成果

弊社はこれまでに挙げたような、対話型生成ＡＩツールだけでなく、ＡＩ実装の様々なサービスを積極的に活用しています。**例えば、ＡＩ議事録・商談（他社開発）ツールの活用により、上長への商談報告にかかる時間は80％減り、未取引企業のアポ取得率は80％増加しています。**

商談時間の担保や、業界知識を生成ＡＩを活用し、情報を集められたことによってホテル業界などの特定分野の受注率が３００％改善したという報告も上がっています。

また、生成ＡＩの活用は他社製品だけに留まりません。当社の場合、求人メディアを扱うため、日常的に原稿を作成することから、自社開発をした原稿改善ツール「あいぺん」を開発しました。「あいぺん」については、月1000時間以上の時間を代替することに繋がっています。

同じように、自社開発をした求人原稿の表記検査では、求人原稿の検査AIを活用することで工数の約70％削減に繋がり、案件増加にも対応する体制を作ることができました（※いずれもトライアルで導入している部署における効果）。

■今後の展望

2023年4月より「人」が行っている業務の多くを代替する可能性を持つ生成系AI技術にいち早く着目し、人材紹介サービスの収益構造を刷新するために『AIエージェント事業』の開発を開始しました。

「大量の求人情報から検索する・選ぶ」方法から「対話しながら最適な仕事に出合える」方法へと進化し、採用率を大幅に高めていくことを目指しています。AI戦略のスペシャリストで東京大学松尾豊研究室の成果活用型企業である、株式会社松尾研究所と連携して共同研究をするなど、早期実用化に向けて開発を進めています。

事例❷ 株式会社セレブリックス

私の在籍するセレブリックスでは、主力事業のひとつにＢtoＢの営業代行があります。営業活動におけるセールスプロセスの一部、もしくはすべてを弊社の営業人材が代理して行うサービスであり、人員不足や営業ノウハウの不足を解消することが可能です。

弊社の営業代行サービスの中でも、いくつか生成ＡＩを活用して営業活動のプロセスを代行するプロジェクトが増えてきた中で、今回はインサイドセールス（非対面営業）での成功実績を紹介します。

「この営業はひと味違う」を15分でつくる生成ＡＩ活用　～CEREBRIXの営業代行プロジェクトの事例～

■商品概要（営業する製品や品目）

■動画マニュアルソフト（弊社が支援した営業代行事例）

■ターゲットとして、マニュアルが必要、マニュアルの変更が盛んになる企業、および初期教育などに

■労力が発生している企業がターゲットとなる（製造業／小売業／物流業／飲食業／食品業）

■業界や従業員等の制限はなく、不特定多数の企業の営業ができる

■組織体制

■営業活動・セールスプロセスにおいて、アポイント獲得までと商談以降を分業している

■アポイント獲得までのインサイドセールスの役割をセレブリックスが代行している状態

■獲得したアポイントを、クライアントのフィールドセールス（訪問営業担当）にパスしている

■生成ＡＩを活用した具体的な取り組み

セレブリックスがインサイドセールスを支援しているプロジェクトで、生成ＡＩを活用して商談獲得の生産性を高める実証実験を開始しました。

具体的には**インサイドセールスにおける、反響で獲得した見込み顧客情報へのコミュニケーション（SDR）に生成AIを活用することで、短時間でお客様に「この営業（会社）はウチの業界に詳しいな」という、信頼を形成するコミュニケーションを築くための生成AI活用**でした。

反響営業でのインサイドセールスにおいては、初期対応のスピードやレスポンス対応がお客様の評価や体験価値に直結するといわれています。また、今回のリード（見込み客情報）の中には、問い合わせのようにホットなリードだけでなく、展示会で名刺交換をした企業や資料などをWEBサイトからダウンロードしていただいたお客様も含まれます。こうしたお客様に初期対応が遅れると、繋がりにくくなったり、他社との話を進められてしまっていたりと、ビジネスチャンスの損失に繋がります。

一方で、お客様の業界に精通していたり、仮説を持ってコミュニケーションを取らないと、「とりあえず名刺交換をしただけ・情報収集のために資料をダウンロードしただけ」という状態から、お客様の態度変容に繋げることは難しいでしょう。

そこで今回のケースでは、反響リードにコミュニケーションを取るインサイドセールス担当（SDR）が、リードや問い合わせに対して、生成AIを活用して業界知識を装着し、

「業界あるあるがわかる」ひと味違う営業担当をスマート×スピーディに作り上げた事例を紹介します。

■生成AIの利用におけるBefore After

結論としては、お客様にコンタクトできてからのアポイント取得率が3・3％向上しました。新規営業におけるアポイント獲得率が3％以上高まるというその意義は大きいのです。

仮に1人の営業担当者が1日10人のキーパーソンとコンタクトしているとすれば、3件のアポイントを増やすことができます。

それが1か月であれば20件、年間で見れば240件の商談が増えるという計算になります。仮に顧客平均単価が年間200万円の商品を扱っていたとして、商談受注率が10％として計算すると、（240商談×受注率10％）×平均単価200万円＝4800万円の売上向上のポテンシャルを秘めていることになります。

〈Before〉

生成AIを利用するまでは、反響リードに対して営業担当者がWEBサイトなどの情報を短時間で調査し、仮説を立てて、コミュニケーションを図っていました。

しかしながら、短時間で調べられる情報には限りがあり、実際には汎用的なトークスクリプトに基づく対話をしてしまうケースがほとんどでした。

結果としてスピーディな対応はできていましたが、お客様にとって「話がわかる特別な存在」になれていたかというと、そうではありませんでした。

これを個社ごとにしっかり準備や調査の上でコミュニケーションを取ろうとすると、相当時間がかかり、お客様に満足のいくスピード対応やレスポンス対応が図れなくなります。

本来、理想の手順としては、業界情報や業界トレンドの理解→業界におけるマニュアルや教育の情報収集→問題発見や想定課題の仮説構築→提供サービスが役に立つ理由の意味付けを行う必要があります。

かつ難しいのが、業界特化のサービスではない点と反響対応のために営業側でターゲット業界を限定しにくい点が、顧客解像度をクリアにする難易度が高かったといえます。

〈After〉

この問題を生成ＡＩの活用とプロンプトによって解消することに成功しました。

プロンプトでは、お客様の立場を想定した役割を付与するリクエストをしたことで、想定課題の把握や、業界ならではの言語の把握を効率的に収集できるようになりました。

例えば、製造業におけるガラスなどのメーカーに対してコミュニケーションを取る際に、「ガラスでのオートクレーブという装置があるが、これを利用するのに必要なスキルは何か。指導者の立場で答えなさい」といった問いを与えることで、お客様の目線に立った注意事項や言葉選びができるようになりました。

結果として、**反響獲得後にインサイドセールス担当は、インプット時間を最短10分で済ませ、早期にお客様対応に向き合うことを実現可能にしました。**お客様の情景や共通言語を活用することで、コンタクトしてからの対話のラリーが増加したり、お客様の反応や温度感が明らかに良くなったことを感じています。

結果として**コンタクトアポイント率は、生成ＡＩを活用する前の月と比較したときに、3・3％向上することに成功しました。**

第7章

人間らしさと生成AI

それでもやっぱり「人間らしさ」がモノを言う。

労働人口が減少する中でも、高い目標やゴールを目指し続けるためには、営業生産性を向上するための、業務プロセスの見直しが必要です。

その方法のひとつが、営業プロセスに生成ＡＩを取り入れることで、知的さとスマートさを手に入れようというのがこれまでの話でした。

しかし、生成ＡＩの登場で「人間らしさ」が失われるかと言うとそうではありません。むしろ、超ＡＩ時代がくればくるほど、優秀なＡＩパフォーマーは「人間らしさ・人間味」で勝負をしていくことでしょう。

第7章では、ＡＩ時代に「あなたから買いたい」と選ばれる理由となる、情緒的な部分や人情的な考え方にも触れておきましょう。

なぜなら「知的でスマートな営業」と言う結果は、必ずしも近道ばかりではなく、一見遠回りに見える行動や姿勢の先にも存在するからです。

「足で稼ぐ営業」に未来はあるのか？

ＡＩによってなくなる職業に度々「営業」や「販売」に関連する職業が軒並みランクインしています。本書で触れているように、これからの営業職に求められるスキルに、生成ＡＩやテクノロジーを駆使して高いパフォーマンスが発揮できる人が重宝されるのは、ほぼ間違いありません。

一方で原点に立ち返ると、スマートであるというのは目標を達成するための手段でしかありません。

営業組織や経営者が求めるのは常に「結果が出せる営業」なのです。また、お客様からすれば、「結果が出る商品（サービス）を提案してくれる営業」を求めているのです。

その観点からいえば、スマートを装った結果が出せない営業のほうがはるかにタチが悪いのです。というよりは「結果が出せない（結果に繋がる行動やプロセスをたどれていない）営業」はスマートでも何でもありません。ハイブランドの洋服を身にまとって着飾っていたとしても、エレガントなたたずまいや品性のある行動、魅力的なコミュニケーションを取れない人をスマートだとは思わないですよね。

どうか本書をご覧いただくあなたは、見掛け倒しの「頭でっかちな営業」にはならないでください。

3K営業が差別化になることだってある

3K営業（勘・経験・根性）と呼ばれるいわゆる足で稼ぐ泥臭い営業というものに未来がないかといえば、「なくなる」と決めつけるのは強引だと考えます。

私の示す結論は、**「計画性のない」3Kが悪**であり、3Kの思想自体は善でもあるということです。

大前提、「数撃ちゃあたる」理論で闇雲に無作為営業をすることは私も否定派です。

ただし「n＝1」つまり、ある特定のお客様から契約をいただくためのシーンとして、「足で稼ぐ」や「泥臭さ」は必要な場面もあるのです。

結局のところ、お客様の心を突き動かすのは「あなたの役に立ちたい」という想いが伝わるかどうかも重要であることはいつの時代も変わりません。これは法人営業でも同じことです。

お客様からすれば、誠意を持っていつも気にかけてくれる営業とそうでない営業を比較した時に、最後に選ぶポイントは、「どれだけ自分たちに向き合ってくれたか」という合理の先にある、人間関係の影響力が発揮されることもあるはずです。

不思議なことに、あれだけ毛嫌いされる「足で稼ぐ営業」がお客様に選ばれる理由になる可能性も秘めているのです。

POINT

- 正しいターゲットに、熱意を示すために足で稼ぐことも必要。これは「投資」である
- ただし、提供価値を見出すことのできないターゲット外のリストに闇雲に営業することは「浪費」であり迷惑行為である。つまり足で稼ぐかどうかが問題なのではなく、探客（ニーズのある正しいターゲットを探すこと）ができていない「場あたり」営業が悪なのだ

購買する側だって「3K」だ

先の話に繋がりますが、いかに法人といえど合理的な見解だけで購買の意思決定をするのは非常に難しいですし、購買の成功確率を少しでも高めようと考えるなら（購買の不安を取り除くために）、営業パーソンの姿勢や熱意も検討要素に入ってくる可能性があります。購買の検討を進めるのも、購買の意思決定をするのも、社内の一人の人間による問題意識や想い、そして情熱がコトを進めます。

購買者の立場を覗いてみましょう。

法人組織の中で購買経験がない人は、購買者の置かれている立場や気持ちを知っておくとよいでしょう。企業の中で購買の意思決定を進める、進言するというのは私たちが思っている以上に「非常に複雑で重い」のです。

■そもそも課題なんて山ほどある。全部取り組んではいられない
■その問題や課題を「解決すべき！」と顕在化させた以上、無視はできなくなる
■問題や課題について、社内で進言したり手を挙げた人に仕事はやってくる（高負担）
■課題を攻略する方法として、営業の提案以外にも選択肢はたくさんある
■しかし、営業はだいたい皆「いいことを言う」。商品面だけでの合理的な判断は難しい
■企業内で導入の意思決定をしようとすると反対者や足を引っ張る人が高確率で登場する
■導入したものの、思った以上に利用されない／うまくいかない／改善されない
■失敗した場合に責任を取らされたり、立場を悪くする

上記は一例ですが、購買検討の推進や意思決定が「重い」ということはご理解いただけたでしょう。

購買者は自社の問題や課題と照らし合わせて、論理的かつ客観的な判断に努めようとするものの、理屈だけで購買や導入がうまくいくはずもないので、最後は3K（勘、経験、根性）的な購買検討や意思決定に頼るのです。

この営業や提案を信じてみよう、という〈直感（勘）〉は働きますし、経験があるからよ

り良い意思決定もできるはずです。

また、反対意見を押しのけたり、協力者を募る活動、導入後の定着に向けては〈粘り強さ（根性）〉が肝になるはずです。そしてこれらをやると決めて突き動かすのは「覚悟（気合）」なのです。

購買側がこれだけ3K（勘、経験、根性）の状態で判断、行動しているのです。営業だけが雰囲気スマートであろうとするのはフェアではありません。

POINT

- 勘、経験、根性という言葉はネガティブな言葉に聞こえるが、それは実は表現の影響かもしれない
- 特別であろうとするならば「泥臭い」と言われるような行動は必要である。
- 〈勘〉は研ぎ澄まされた直感や美意識、〈根性〉はやりきる力・粘り強さ・あきらめない精神、〈気合〉は本気度や覚悟と使命感
- 言葉を換えると、その重要さはあらかじめみんな知っているのだ

3K営業はなくならない、変わるのはシチュエーション

本書で触れる、知的でスマートな営業プロセスを目指す「インテリジェントセールスプロセス」や、生成AI、AIパフォーマーを育てたからといって、3Kはなくなりません。

その判断基準は過去の経験や美意識、善悪の基準をもって、最後は直感に頼って決断を求められることになるのです。**生成AIが出したクリエイティブやコンテンツを選ぶのはあなたです。**

そして、**生成AIから、理想の回答を導くために「慣れる」「習慣化する」のには根性や気合いが必要**です。

今までなくてもどうにかなったものなので、新しい習慣やオペレーションを根付かせるためには、根性も気合も重要です。多くの方が途中で挫折してあきらめてしまう中、むしろ、スマートな営業を前進させるのが、強い熱意を持った3K営業の推進者かもしれません。

セレブリックスでも私自身のテーマでも、「営業を科学する」というスローガンを掲げています。営業という職業、技術、活動を体系的に捉え、再現性を持たせることを目指しています。

さて、この「科学」という言葉を聞くと表現はエレガントでスマートですが、実際はどうでしょうか？

営業という枠を越えて想像してみましょう。

あなたのイメージする「科学者」は、直感でいろいろ実験を試していますか？　何度失敗しても試行錯誤と実証実験をあきらめない心で挑んでいますか？　膨大で壮大なテーマに対して、使命感や探求心をもって「自分が解明する」という情熱を持って向き合っていますか？　おそらくすべてが「Yes」となったでしょう。

そうです、科学の道のりはいばらの道であり泥臭さの結晶です。

これは科学という大袈裟な言葉を使わなくても、メカニズム（仕組み）に置き換えてもいいでしょう。

エレガントでスマートなのは、科学された結果や状態を指すのであって、その道中やその結果をつくるためのプロセスは３Ｋができる人の存在が必須だと考えます。

繰り返しになりますが、「計画性のない」3Kが悪であり、3Kの思想自体は善でもあるのです。

営業は専門化の時代へ
~求められるニューヒーローの存在~

営業職の未来に焦点を定めて考えていきましょう。

一般的に生成AIの登場で、ホワイトカラーの仕事が減り（AIに任され）、より人間らしい仕事が生き残るという情報を目にします。営業の世界ではどう考えるべきでしょうか。

私は「生成AIを使える営業とそれ以外の営業」という二極化の時代で捉えるのは〝違う〟と考えます。使える人だけが残るとも思いませんし、使うことが求められない営業だってあると考えるのです。

まずそもそも営業職という仕事を、私たちは大きな〝かたまり〟で認知しすぎています。

次の【図7－1】をご覧ください。この図は営業という職業における「役割」を比べながら整理をした図解です。

図7-1　営業職の分類例

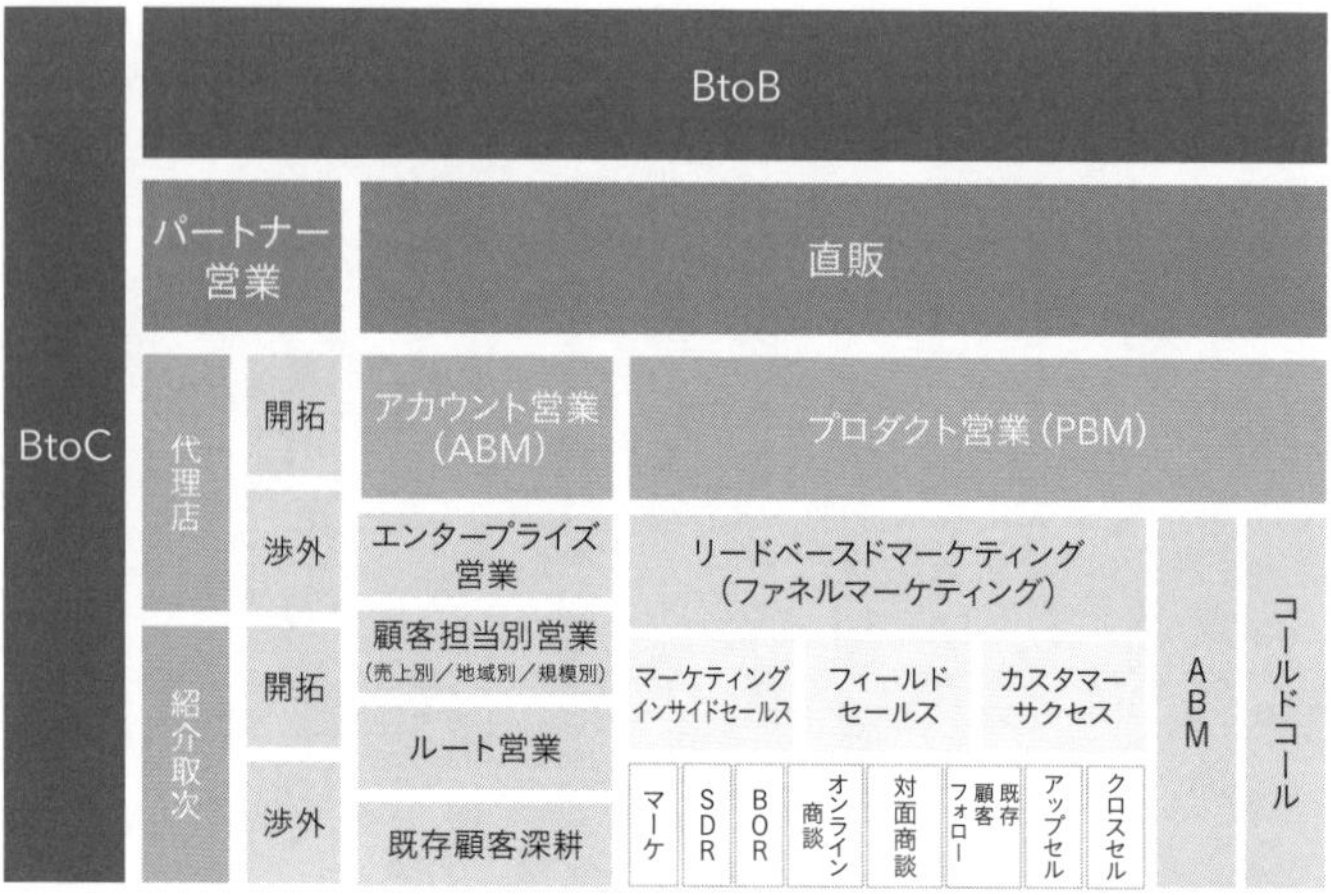

引用：株式会社セレブリックス【顧客開拓メソッド™】より抜粋

〈BtoC（個人向け）営業〉と〈法人向け営業〉といったように同色で、同階層の種別を分けて記載しています。本来であればBtoC営業の他にBtoG営業（公共向け営業）なども比較対象にあるはずなので、これでも到底網羅などしきれていません。

法人営業の階層で対比構造をつくってみるとすれば、〈パートナー営業〉と〈直販営業〉に仕分けることができるでしょう。

代理店や取次店を通すか、利用企業に直接売るか、これだけ比べても求められる性質がまるで異なるのが想定できるはずです。

それなのに私たちは、いつまでたっても「営業とは○○であるべき」という、抽象度の高いテーマで営業論やキャリアが語られます。これはスポーツ競技でいうところの「陸上競技」というくらい粒度の粗いテーマで職業を語っていることになります。

陸上でも、短距離走と砲丸投げでは、筋肉やトレーニングの内容も異なることは中学生だってわかるはずです。

「営業」という職業が、体系的に調査・研究されてこなかった理由のひとつが、営業という職業をチャンクダウン（塊を細かく分けること）して、調べる・比べる・実験する・構造化するということができなかったからだと考えます。

セレブリックス営業総合研究所では、このブラックボックスを解明するために「職種別営業スキルの調査レポート」を作成し、ＷＥＢサイトで無料公開をしています。個人情報の入力などの手続きの必要もなく閲覧できるのでぜひご覧ください。

職種別営業スキルの調査レポート　検索

https://www.eigyoh.com/column/eisouken-01-salesskill?utm_source=tw&utm_medium=post&utm_campaign=eisouken

さて、話を戻しましょう。

生成ＡＩはすべての「営業職」で求められるかといえば、そうではないというのが私の主張です。先ほどのように営業職をチャンクダウンしていけば、生成ＡＩが活躍するシチュエーションの大小は少なからず発生すると考えます。

例えば、既存顧客へのリレーション構築営業と新規顧客開拓営業。どちらが生成ＡＩの恩恵を受けるシーンが多いかと問われれば、新規開拓営業でしょう。

なぜなら、都度異なるお客様への商談機会が発生するため、第3章で解説した、商談準備の機会や調査の機会が多いためです。

またリレーション営業では、これまでの関係の中から、お客様に直接伺うことができるため生成ＡＩで調べるよりも「お客様に直接聞く」ほうが、パーソナライズされたリアリティのある情報を持てることになります。

一方で、既存顧客への営業といっても、これまでと異なる部門への新規商談、今まで提供していた商品と異なる商品やサービスの新規提案という側面で見れば、新たに調べたり示唆する情報も必要になるため、生成ＡＩが役立つ場面も増えるでしょう。

同じように、特定の業界に特化した営業職かどうかも生成ＡＩの活用頻度に影響があると言えます。

例えば、業界に特化したサービスを提案する営業パーソンと業界を跨ぎ不特定多数のユーザーを対象にしたサービスを提案する営業職がいたとすれば、どちらが生成ＡＩのパフォーマンスを発揮しやすいと思いますか？　この比較でいえば、より活用シーンが多いのが「業界を跨ぐ不特定多数のユーザーを対象にする営業職」の方が、成果インパクトは大きくなるポテンシャルを秘めています。

さらに言えば、超高齢化社会に突入した日本、同時にアクティブシニアといった高齢者の消費や購買マーケットが確立されている中で、高齢者とコミュニケーションを取る営業職も増えてくるかもしれません。そうした環境で求められる営業スタイルが、生成ＡＩをフル活用したインテリジェントセールスなのかといえば、それは違うのかなとも思います。購買者の属性によっても「されたい営業」と「求める営業像」は違うはずです。

このように、所属業界や営業種別、お客様の属性によって営業の「理想像」は異なります。つまり、チャンクダウンされた営業の世界では、活躍するヒーロー像が違うのです。

実は「ヒーロー像の誤解」という同じような現象が、営業・商談シーン以外の場面で起こっています。そのわかりやすい例が、採用（転職）です。

転職前はトップセールスだった方が、別ジャンル・カテゴリの営業職種に就くと思うように成果が出せないということがあります。このケース、前職では顧客や環境に恵まれていただけ、というケースも確かにあるのですが、必ずしもそれだけではありません。

実際に前職の営業現場と転職先の営業現場で求められるスキルが異なりすぎていることがあり得るのです。次の【図7－2】は「職種別営業スキルの調査レポート」で公開している、業界別に求められている営業スキルの比較です。

注：セレブリックス営業総合研究所で思考スキル／対人スキル／専門スキルに分類し、定義・整理した、合計259個のスキルを7000人の営業職に調査を実施。業界や職種分類別に求められているスキルの違いに何があるのかを研究した。

このように同じメーカーでも、化学系のメーカーと住宅設備メーカーでは求められるスキルランキングが異なることがわかります。

化学系メーカーの場合、最終消費者向けの商品なども展開していることから、営業先である小売店や販売代理店に対して、キャンペーンと適用させた売り出し商品の積極展開や、店頭で積極的に取り扱っていただくための訴求や交渉がスキルとして求められるのです。

住宅設備の場合は、住宅設備といういずれかの製品を取り扱う性質があることから、競合との比較や優位性の訴求が求められます。

次に職種別の比較も見てみましょう（次ページ参照）。

図7-2

3-9：メーカー｜化学

セレブリックス 営業総合研究所 Research Institute for Sales

1位~5位　<u>キャンペーン訴求</u>、信頼獲得、<u>定期連絡の合意形成</u>、<u>状況対応力</u>、<u>ヒアリング</u>

順位	スキルカテゴリ	クラス	スキル名	Score
1	20_興味喚起/魅力訴求	専門スキル	325_キャンペーン訴求	4.00
2	01_基礎コミュニケーションスキル	専門スキル	002_信頼獲得	3.85
3	01_基礎コミュニケーションスキル	専門スキル	001_定期連絡の合意形成	3.81
4	03_基礎ビジネススキル	対人スキル	359_状況対応力	3.79
5	18_ヒアリング/インサイト把握	専門スキル	107_ヒアリング	3.78

化学メーカーは、原料・中間消費財・最終消費財を製造し、法人・個人を問わず多くの化学製品を提供している。また、製品の媒介を行うパートナーなども多数存在しているため、製品領域に応じて関係者が大きく変化するという前提がある。

その上で、まず「キャンペーン訴求」についてだが、これは一般消費者に対して「自社製品を手に取ってもらう、選んでもらう」ために必要なスキルとなっている。また、パートナー営業を展開する場合「パートナーに、自社製品を進んで販売してもらう」ため「自社製品の販売促進による金銭的メリットの付与」などの特別なキャンペーンを行う場合もある。いずれの場合も、製品を使う・売るメリットを訴求し、「売れる仕組みづくり」を行う必要がある。

また、既存顧客とのやり取りが多い業界でもあるため、「信頼獲得」「定期連絡の合意形成」「状況対応力」も必要スキルとして上位にランクインしている。これらは多くの関係者・顧客との関係性を良好に保ち、継続的な販路の維持・拡大を行うためになくてはならない。

こうした関係者・顧客とのやり取りの中で、ニーズや課題を正確に把握する「ヒアリング」も重要となってくる。自社製品の市場シェアを高めていくために顧客の声を拾い集めていき、それらを基にしたより良い製品開発・キャンペーン訴求企画などを行っていき、「選ばれ続ける存在」になることを目指していく。

3-9：メーカー｜住宅設備

セレブリックス 営業総合研究所 Research Institute for Sales

1位~5位　<u>競争力や他社比較</u>、<u>状況対応力</u>、<u>提供価値や購買動機の理解</u>、<u>関係構築力</u>、傾聴力

順位	スキルカテゴリ	クラス	スキル名	Score
1-1	09_マーケット/トレンド理解	専門スキル	036_(顧客の)商品・サービス理解／競争力や他社比較	3.75
1-2	03_基礎ビジネススキル	対人スキル	359_状況対応力	3.75
1-3	16_仮説構築	専門スキル	038_(顧客の)商品・サービス理解／提供価値や購買動機の理解	3.75
1-4	01_基礎コミュニケーションスキル	対人スキル	348_関係構築力	3.75
5	01_基礎コミュニケーションスキル	対人スキル	352_傾聴力	3.72

住宅設備メーカー（建材メーカー含む）は、主に住まいに関連する事業者に対して資材や製品を卸したり、時には直接消費者に製品を提供する。
マンション系のディベロッパーやモデルルーム事業を営む企業に販売したり、パートナーシップを組むこともあれば、注文住宅や戸建住宅のメーカーや工務店が顧客になったり、紹介取次店となることもある。
住宅設備の場合、インテリア商品等とは異なり、キッチンや窓、エアコンや入浴設備、トイレといった住まいにあらかじめ設営されているものが多いため、販路をどのように作るかが重要である。

住宅設備メーカーは、継続的な技術革新と消費者のライフスタイルの変化に合わせて、提供内容が大きく変わることが特徴である。例えば近年では、エコ技術の進化やスマートホームの需要の増加に伴い、従来の住宅設備とは異なるニーズが市場に浮上している。
そうした背景から、住宅マーケットやトレンドの理解を前提とした、商品提供先となるマンションディベロッパーやハウスメーカーの「提供価値」「他社との違い、競争力」「消費者が購買する動機」などを理解することが求められる。
自社の住宅設備が顧客にフィットする理由を見出す必要がある。

なお、時代に合わせて異なる消費者ニーズや要望に対して、顧客から様々な要望を交渉や相談されることも多いため、「関係構築力」や「状況対応力」も求められるスキルとして高い結果を示している。

本資料の情報やデータはセレブリックス営業総合研究所に帰属します。いかなる場合も商用利用を禁止します。

4-2：アカウント営業

営業総合研究所《セレブリックス》
Research Institute for Sales

1位~5位　信頼獲得、傾聴力、説明力、判断力、**状況対応力**

順位	スキルカテゴリ	クラス	スキル名	Score
1	01_基礎コミュニケーションスキル	専門スキル	002_信頼獲得	3.73
2	01_基礎コミュニケーションスキル	対人スキル	352_傾聴力	3.65
3-1	01_基礎コミュニケーションスキル	対人スキル	351_説明力	3.62
3-2	03_基礎ビジネススキル	対人スキル	349_判断力	3.62
5	03_基礎ビジネススキル	対人スキル	359_状況対応力	3.61

アカウント営業は、特定顧客（アカウント）を営業対象として、深く長い関係を築く役割を担っている。

したがってアカウント営業の場合、不特定多数の企業に量的なアプローチを行うというスタイルは取らず、決まった顧客に対して価値提供を最大限発揮し、LTV（顧客生涯価値）を高めるという指標を持っている。

このような観点から最重要視されるスキルは、長い付き合いを育む中で顧客に信用、相談していただける関係構築のスキルである「信頼獲得」であった。

特定アカウントからの受注でビジネスの目標達成が狙えるような、大口顧客、大型提案になることが多いため、対象の企業から受注を上げる目的で、食事やゴルフなどの接待なども営業戦術として活用することがある。


新規顧客か既存顧客かによってもアプローチの方法は異なるが、特定の企業から案件を受注するために勉強会を開催したり、導入済の顧客への見学訪問の機会を設けたり、クローズのセミナーを開催したりする。このように手間暇をかけて商談を前進させる1to1のマーケティング活動を推進するABM(アカウントベースドマーケティング)を取り入れ、「信頼獲得」を目指していく。


対象顧客が大手企業の場合、1社に深く入り込み、様々な組織で発生している課題を特定する必要がある。そういった時に「傾聴力」がものを言う。

また、1社の商品導入に利害関係者が10名以上関わることも多く、必ずと言っていいほど「反対勢力」が生まれる。そうした方々にご納得いただくためのコミュニケーションとして「説明力」は重宝される。

また、アカウント営業、ABMはその企業に合わせた説明や提案などのカスタマイズ性が求められることから、「状況対応力」の必要性も高い。

4-3：パートナー営業（代理店営業・渉外）

営業総合研究所《セレブリックス》
Research Institute for Sales

1位~5位　判断力、共感力、説明力、傾聴力、**観察力**

順位	スキルカテゴリ	クラス	スキル名	Score
1	03_基礎ビジネススキル	対人スキル	349_判断力	3.67
2	01_基礎コミュニケーションスキル	対人スキル	347_共感力	3.66
3	01_基礎コミュニケーションスキル	対人スキル	351_説明力	3.65
4	01_基礎コミュニケーションスキル	対人スキル	352_傾聴力	3.64
5	03_基礎ビジネススキル	対人スキル	350_観察力	3.63

パートナー営業は、自社で生産した商品を営業、販売してくださる代理店などを開拓したり、パートナーとの関係を深めて積極的に営業していただくための渉外活動を行う役割を担っている。直販営業との最大の違いは、「サービスや商品を利用するユーザー（個人、法人）に直接営業するかどうか」である。どれだけ優れた商品を持っていても、パートナーが「顧客に提案したい」と思わなければ売上は高まらない。そのため、彼らとの関係構築や協力体制づくりが重要視され、総じて「対人スキル」が求められる結果となった。


「判断力」は様々な場面で必要とされる。複数社のパートナーや代理店契約がある場合に、都度どのパートナーに注力するべきかの判断、さらに条件面での交渉事項や依頼事項に対する判断も求められる。また、パートナーと顧客との商談に営業同席する場合は、その商談での個別交渉において商品提供主としての判断が必要になる。

加えて商談同席では、商品提供主としての商品詳細の伝達や質疑応答が求められることから、「説明力」が重視される。


パートナーとの良好な関係維持のために、彼らの課題や経験に対する真摯な理解を示す「共感力」や「傾聴力」が求められる。パートナーにとって「私たちのことがよくわかっている」という特別な存在になることができれば、営業活動における相談や要望がフラットに出てくる可能性が高まる。

またパートナー営業においては、彼らの営業組織の状況や関心事に精通する必要がある。それぞれの営業担当がどのような顧客（得意先）を担当しているか、そしてパートナーの顧客がどのようなニーズを抱き、どのような提案機会を創ろうとしているのかを「観察」する力が必要になる。

4-5：既存営業/リレーション営業（ルート営業/ラウンダー営業）

セレブリックス
営業総合研究所
Research Institute for Sales

1位~5位　信頼獲得、傾聴力、共感力、判断力、説明力

順位	スキルカテゴリ	クラス	スキル名	Score
1	01_基礎コミュニケーションスキル	専門スキル	002_信頼獲得	3.68
2	01_基礎コミュニケーションスキル	対人スキル	352_傾聴力	3.59
3	01_基礎コミュニケーションスキル	対人スキル	347_共感力	3.57
4	03_基礎ビジネススキル	対人スキル	349_判断力	3.56
5	01_基礎コミュニケーションスキル	対人スキル	351_説明力	3.55

「ルート営業/ラウンダー営業」は、特定の顧客やルートを定期的に訪問する営業職であり、飛び込み営業と同じく「外回り営業」の代表格である。
既存取引先との関係維持に注力し、より良好な関係に発展させたり、発注量を最大化させることがルート営業の役割である。

中長期的な関係の中で取引を育むことが目的となるため、特に「信頼獲得」が重要視されている。長い付き合いともなれば、雑談を含めた交流や接待なども含めてコミュニケーションは多方面にわたる。そうした意味では営業力を超えた人間性を顧客から見られることが多くなるだろう。
その結果として、「信頼獲得」を構成する要素となる「対人スキル」がリストに多く見られたのも納得である。

ルート営業は、顧客と深く長く関わるため情報を聞き出せる機会が多くあることも特徴だ。「傾聴力」や「共感力」によって、できるだけ製品やサービスの利用状況や課題点などを察知しておくことも重要である。
こうした関係づくりが、結果として競合が顧客に介入してくる脅威を抑止したり、はねのける効果を生み出す。これも発注量を増やすこと以外のルート営業の重要な仕事と言える。

なお、ルート営業を実施するのは主に、メーカー（製造業）全般や有形商品を扱う専門商社などである。商品や製品の説明機会が多く、機能や性能について具体的に説明したり、他社製品との違いをわかりやすく示す必要があることから、「説明力」も上位にランクインしている。

4-6：ファネル別営業（インサイドセールス）

セレブリックス
営業総合研究所
Research Institute for Sales

1位~5位　傾聴力、判断力、説明力、交渉力、状況対応力

順位	スキルカテゴリ	クラス	スキル名	Score
1-1	01_基礎コミュニケーションスキル	対人スキル	352_傾聴力	3.65
1-2	03_基礎ビジネススキル	対人スキル	349_判断力	3.65
1-3	01_基礎コミュニケーションスキル	対人スキル	351_説明力	3.65
4	03_基礎ビジネススキル	対人スキル	357_交渉力	3.63
5	03_基礎ビジネススキル	対人スキル	359_状況対応力	3.61

営業プロセス（ファネル）において分業や協業体制を敷いている場合のインサイドセールスの役割は、見込み客に対してメールや電話でアプローチをし、潜在的なニーズや問題を引き出しながら、提案機会を獲得することである。

そうした背景を踏まえると、「傾聴力」「判断力」「説明力」が上位に位置するのは納得である。傾聴することによって、表面的なニーズだけではなく潜在的な課題を発見したり、どのタイミングであれば商談機会を創出できるか確認できたり、リストの精度と鮮度を維持することができる。特に反響営業であれば、顧客が購買意欲や顕在ニーズを保有しているため、この傾聴スキルや質問の精度で、フィールドセールスにパスできる情報の精度は変わってくる。
顧客毎に異なるニーズやペイン（痛み）に対して、どのような訴求方法やソリューションを当てていくべきかについての「判断力」を養うことも重要だ。
個別化されたトークにより「なぜ今」「なぜあなたに」連絡しているのかを言えるかどうかで、顧客からの評価は大きく変わるだろう。なお、インサイドセールスにおける「説明力」は、細かく丁寧に説明できれば良いというものではない。電話、メール、手紙で長い文章は読まれず、情報を事細かに伝えるのは不可能である。誰にでもわかりやすく、短く、それでいてキャッチーに顧客がベネフィット（利益、恩恵）を理解できる説明が求められる。

なお、特にアウトバウンドのプッシュ型営業では、断ろうとする顧客との対話が多くなるため、アポイント獲得のための反論対策や日時設定などの状況対応力と交渉力も求められる。

本資料の情報やデータはセレブリックス営業総合研究所に帰属します。いかなる場合も商用利用を禁止します。

「職種」という観点で比較しても、ランキングの内容や優先順位が異なることがわかります。

また、同じ「判断力」という対人スキルの表現を用いても、営業職種によって意味合いや求める性質が異なることが窺えます。

さて、生成ＡＩとは直接関係のない話をしましたが、「営業職の未来と生成ＡＩ」というテーマで考察を述べる際に、単純に生成ＡＩが活用できるか、できないかという二極化ではなく、営業職を小さな塊にチャンクダウンして、それぞれの営業職種で重要性を考えるべきと言うのが私の主張です。

ただし、だからといってあぐらをかいていいわけではありません。

営業という職業は残念ながらお客様と向き合っている純粋なセールスピュアタイムよりも、社内会議、社内業務、提案書作成、見積作成などの対人対応以外の作業時間に充てている時間が多いというレポートが各所から出されています。

そうした観点でみれば、あなたの仕事はＡＩに奪われるのではなく、「生成ＡＩを使える同僚」に奪われていくのかもしれません。

いずれにしても、これからの時代のニューヒーローはその分野の専門性を持った営業職です。

特定の分野にフィットした、生成ＡＩの活用方法や自身のスキルとの組み合わせを図っていくことが大切です。

POINT

- 自分の実績を聞かれて答える人はそれなりにいるが、自分が持っているスキルや専門性は？と質問すると答えられる人は驚くほど少ない
- 自分の持っているスキルや能力を言語化して棚卸をしてみる
- その際に、そのスキルは業界や職種を変えても持ち運び可能な「ポータブルなスキル」なのか、それとも特定分野で輝く「専門スキル」なのか、判別してストックするとよい
- ただし注意が必要なのは、それがノウハウ(Know How)やスキルなのか、それともその会社に長くいるから「その人しか知らないことなのか」は正しく見極めたい
- 長くいたから知っていることは、ノウフー(Know Who)であり、他の会社や仕事に就いても役に立たない

あとがき

書籍を執筆する際の恒例行事となりましたが、直接的にテーマと関係のない「今井の腹の中」をアウトプットする場として、「あとがき」に思いを連ねていきます。

私は常々、「営業の価値を高めたい」と口にしています。

厳密には、①営業という仕事そのものの価値　②営業が相手に与えることのできる価値を「再定義」し、営業という職業、技術、活動の素晴らしさを世の中に正しく認めて欲しいという願いでもあります。

ただし、これには条件があって、市況感の変化などによるラッキーパンチによって、お客様に本来の価値提供ができない営業職の価値がインフレしてしまうのは避けたいと思っています。

実力や実態を伴わない営業職が、一時的なまやかしで棚ぼたチケットを手にしたことで価値が上がる（上がったと勘違いされてしまう）と、

・「高いお金を払って雇ったのに、全然実力が伴わないじゃないか」と雇用主の期待値とギャップが起きてしまったり
・逆に、営業に辞められると困るので、しっかりと要望や指導ができなくなってしまい、営業本人の成長機会を逃してしまったり
・インフレが落ち着いた時に、「実は何も持っていない」薄っぺらい営業として、メッキをはがされてしまう

というように、冷静になった時に自分自身を苦しめる可能性があるのです。

また、「価値ある風の勘違い営業」が増えると、購買体験を悪化させ、中長期的にみるとむしろ職業における価値低下を招きます。

営業にとっての価値は、お客様の購買活動にとって最良なパートナーであることに価値を置くべきなのです。

このように、市況感で受動的に「価値が上がってしまった」のではなく、正しいあり方や正しい技術を身に付けた、ホンモノ営業職が増えていくことが私の理想です。

そうした先に、クリエイティブでインテリジェンスな営業活動を推進できる人が増えて

いき、「営業って優秀だし、なんかカッコいい」という世界観を築きたいと考えています。

それが「Sales is Cool」構想であり、私のスローガンなのです。


セレブリックスは、２０２３年11月に法人営業の調査・研究機関であるセレブリックス営業総合研究所（営総研）を立ち上げました。

これによって、営業の価値を再定義し、より良くしていくための情報収集や調査などに打ち込める環境が整いました。

本書のテーマにもある生成ＡＩの調査や、文中に登場した職種別スキルレポートは、営総研で調査した情報を活用しています。

今後も営業の発展と、価値向上のために役立つ情報を提供できれば幸いです。

謝　辞

本書を執筆するにあたり、これまで以上に多くの方の協力や支援があって、書籍の完成を実現できました。

関わって下さった方の全員の名前を挙げたいところですが、文字数の関係で実現できないことをお許しください。

まず、編集者の小川謙太郎さん。私が「生成ＡＩと営業の書籍を出すなら、発売日はどんなに遅くとも5月だ、でなければ書かない方がいい」という、強い意志をくみ取って、それに合わせて各所のアレンジをいただき本当にありがとうございました。色々な方面で、相当無理をしてくださったと推察します。ジェットコースターのようなスピード感で出版を成し遂げられたことを、これから先もきっと忘れないでしょう。

そして、そんな小川さんをご紹介くださった株式会社アタックス・セールス・アソシエイツの横山信弘さんにもこの場を借りてお礼申し上げます。

本書を執筆するにあたって、様々な情報や事例、ケースの示唆を与えてくれた皆様にもお礼を言わせていただきます。

無知だった私に生成ＡＩの可能性を丁寧に教えてくださった、ＡＳＭＡ株式会社の鈴木章広さん。セレブリックスのＡＩタスクフォースとして共に活動する、高橋龍太朗さん、堀大貴さん、工藤眞さん。そして河崎友彦さんに関しては、本書記載のプロンプトコレクションや、本文に登場するプロンプトの参考例なども作成、提供いただきました。

また、第1章の「生成ＡＩの営業における利用実態調査」を行ってくれた、セレブリックス営総研のメンバーである、平本くるみさん、武井香菜子さん、岡崎秋彦さんにも感謝いたします。

そして本書を執筆するにあたり、内容確認や関係各所と調整を図ってくれたセレブリックスの広報と校閲協力いただいたオフィスサポートの皆さん、執筆にチャレンジする環境を作ってくれた、セレブリックスの経営ボードや部長陣といった同志の皆様にも、心からお礼を申し上げます。

何より、この書籍は２０２３年の年末から年始の冬期休暇期間で執筆をしています。

こうした年末年始の家族時間を、執筆に集中させてくれた家族には感謝してもしきれません。

小さな子ども達２人にも、たくさん我慢をさせてしまったので、しばらくは溺愛タイムをつくりたいなと思います。

さて、ここまでお付き合いいただき本当にありがとうございました。最後に記念すべき40代に突入したミドル世代の最初のジョークとして、「謎かけ」を結びの言葉に変えさせていただきます。

生成ＡＩとかけまして、今井とときます。

その心は？

どちらも最後は「愛（ＡＩ）」で締まります（※生成「ＡＩ」×ＩＭ「ＡＩ」）。

ＰＳ：この謎かけは、著者が作ったのか、それともＡＩが作ったのか、どちらを予想するかはあなた次第です。

実践付録

営業パーソンのための生成AI活用素材

用語集

5フォース分析　自社の脅威である5要素を分析し、競合各社や業界全体の状況と収益構造を明らかにするフレームワーク

AIドリブンセールス　AIに営業活動のデータを提供し、営業場面で必要な情報やコンテンツを生成AIに生成させ、行動や手法を営業パーソンが意思決定していくスタイル

API連携　外部のアプリケーションやシステムをAPIを使ってデータ連携させ機能の拡張を図ること

BDR　Business Development Representativeの略。アウトバウンドを中心に特定のターゲットリストに対して対してコミュニケーションを行うインサイドセールス組織

CRM　Customer Relationship Managementの略で顧客関係管理のこと。便宜上、顧客管理システムのことをCRMと呼ぶことも多い

DX　IT・デジタル技術の活用によって企業のビジネスモデルを変革し、競争優位性を高めていくこと

ICTサービス　Information and Communication Technologyの略で、通信技術を活用したコミュニケーションを指す

PEST分析　「政治（Politics）」「経済（Economy）」「社会（Society）」「技術（Technology）」という4つの外部環境をもとに、マクロ環境分析をおこなうフレームワーク

SaaS　Software as a Serviceの略で、クラウドで提供されるソフトウェアのこと

SDR　Sales Development Representativeの略。「反響型」とも言われるインサイドセールス組織

SFA　Sales Force Automationの略で、営業支援システムのこと

SWOT分析　「強み（Strength）、弱み（Weakness）、機会（Opportunity）、脅威（Threat）」の頭文字で構成される、内部環境と外部環境を分析するためのフレームワーク

アイスブレイク　初対面の人同士の緊張感や冷たい空気感を壊し、場を和ませるためのコミュニケーション

アウトバウンド営業　営業側から接点や商談機会をつくる攻めの営業活動（別名 プッシュ営業）

アカウントプラン　商談の準備、攻略計画の策定

アプローチ　挨拶と関係構築。商談開始の土台を得ることを目的とする

アルゴリズム　コンピューターで計算を行うときの計算方法や計算手順、解を求める手続き

インサイドセールス　1社1社の顧客に、個別マーケティングやコミュニケーションを行う、非対面の営業活動や営業担当を指す

インテリジェントセールス　生成AIやデジタルを活用した知的でスマートな営業活動（AIやデジタルを活用したコンサルティングセールス）

インバウンド営業　マーケティング活動などにより、お客様側から接点や商談機会が生まれる反響型の営業活動（別名 プル営業）

ウェビナー　ウェブセミナーのこと。ウェブセミナーシステムのことをウェビナーと便宜上呼ぶこともある

営業代行　営業活動の一部、もしくはプロセスのすべてを代わりに行うサービスや行為

オーダーコントロール　要望の整理。どのような提案であれば製品を導入してもらえるかを明確にするプロセス

オーバースペック　用意された製品の性能や機能が目的や用途に照らして過剰であること

キートリガー　中心となるきっかけや重要な引き金

企画作成　お客様の課題解決を実現するストーリー（企画）を作成するプロセス

クリティカルシンキング　「本当にそうか」と本質を見極めるための前提を疑う力。批判的思考とも言われる

クロージング　商談の後半プロセスにおいて、意思決定の後押しや購買確度を確認するプロセスまたは行為

ケーススタディ　事例研究

コンサルティングセールス　お客様の潜在的なニーズに迫り、理想の未来に主導するスタイルの営業

コンプライアンス　法令遵守のことをさし、企業や個人が法令や社会的ルールを守ること

再現性　別の人が、同じ方法、同じ条件で実施した場合に同様の結果が得られること

ステレオタイプ　多くの人に浸透している固定観念や思い込み、先入観のこと

セールスイネーブルメント　継続的に売れるメカニズムを作るためのデータ活用や教育、コンテンツ作り

セールスエージェンシー　営業活動を中心とした収益を高めるためトータル領域において、クライアントに参加・協力する支援会社

セールスピュアタイム／セールスコアタイム　営業活動、顧客対応に使える純粋な時間

センシティブ　微妙で慎重さを要する状態、敏感で感情が細やか

属人的　個人に依存していること。属人化は特定業務の手順や状況が周囲に共有されていない状態

ソリューションセールス　お客様の悩みや問題解決を実現するスタイルの営業

ダイアログ形式　対話形式、対話型

タスクフォース　緊急かつ重要な問題解決のための特定任務を遂行することを目的にしたチーム

チャットボット　チャット（会話）とロボットを組み合わせた言葉で、人口知能を活用して自動的に会話を行うプログラムのこと

データアナリスト　膨大なデータを分析する専門家

データドリブンセールス　データ駆動型の営業。データに基づく選択や意思決定を行う

テキスト系生成AI　人工知能を活用し、自動で文章を生成するAI技術およびその製品

デジタルシフト　アナログな方法で行ってきた業務をデジタル技術を用いてより効率的に行おうとする取り組み

デモンストレーション　製品の利用方法や活用イメージを持っていただくための実演

テンプレート訴求　決められたひな形でトークや話を展開すること

ネクストアクション　次回の約束や次回に向けた行動

ノイズ　雑音、必要のない情報の例え

パーソナライズ　個別適用、一人ひとり（一社一社）に合わせて変更する、対応を変える

ハルシネーション　生成AIが事実とは異なるもっともらしい回答をすること

標準化　特定の業務内容やその進め方についてすべての利害関係者が理解し、共有することを意味する

ファクトファインディング　課題設定。客観的事実に基づき課題を設定し、解決したいことへの合意を得る

ファネル（営業ファネル）　営業活動のステップを図式化したもの。漏斗《じょうご》、漏斗《ろうと》の例え

プレゼンテーション　課題を解決する最適な提案。課題の解決方法と具体的なプランを披露するプロセス

プロセス毎の変数／プロセス変数　セールスプロセス毎の推移率（例 商談-案件化率／案件化受注率など）

プロダクトセールス　商品の機能や性能を前面に訴求、説明するスタイルの営業活動

プロンプト　ユーザーがAIに対して入力する指示や指示文のこと。指示文の型を指していることもある

ベストプラクティス　ある結果を得るのに最も効率のよい技法、手法、プロセス、活動などのこと

ベネフィット　お客様が商品購入で得られる恩恵。お客様側から見た購入メリットともいえる

メリット　価値のある特徴。長所。利点

ユースケース　ユーザーの利用事例

リテラシー　ものごとを適切に理解、判断ができること。知識そのもの

リプレイス　他社製品（サービス）から新しい製品に乗り換える、置き換えること

リリース　情報や記事などを対外的に発表、告知すること

リレーション　関係性のこと、または良好な関係を築くことを目的としたマーケティング手法のこと

レスポンス　応対や反応のことを指す

プロンプトコレクション1
ターゲティングがしたいとき

You
#命令文
あなたは企業の営業責任者です。
#自社サービス概要の営業活動における具体的なターゲティングを実施し、業界別に親和性の高いセグメントを5つ教えてください。
また、
#出力形式に準拠して回答してください。

#自社サービス概要
＝＝＝＝
機能：△△
導入メリット：△△
解決できる課題：△△
＝＝＝＝

#出力形式
-サービスとセグメントの親和性を10点満点で定量評価
-表形式で出力

プロンプトコレクション2

ペルソナを整理したいとき

You

#命令文
あなたは企業の営業責任者です。

以下の#制約条件に従って#自社サービス の担当営業が会うべき顧客のペルソナ像を生成してください。
#制約条件
##出力形式に必ず従うこと
##例を基に生成すること
##自社サービスの概要に沿うこと
#自社サービス
##サービス名 :【仮名を入力する】
##サービスの特徴 :【入力する】
- 特徴①
- 特徴②
##対象とする市場 :
- 市場や企業概要を入力
- 市場や企業概要を入力
##解決できる問題 :
- 特徴①
- 特徴②
##競合との差別化点 :
- 特徴①
- 特徴②
#出力形式
##業種 : [業種名を入力]
##企業規模 : [企業規模を入力]
##部署 : [関連部署を入力]
##役職 : [役職名を入力]
##抱える問題点 : [具体的な問題点を入力]
##利用シナリオ : [サービス利用のシナリオ・ケースを考え入力]

プロンプトコレクション3

個別メッセージを作成したいときⒶ

You

プロンプト①
□□業界における○○課題について解説してください。

プロンプト②
□□業界のお客様に対して、○○ができていないことにより発生する問題とその問題の原因や背景を箇条書きでそれぞれまとめてください。

プロンプト③
それぞれの問題と原因を踏まえて、□□業界のお客様に対して、○○の課題を解決することに対して合意を得られるようなメッセージを作成したいです。
一方的に課題解決を訴えるわけではなく、背景にある問題や原因も考慮に入れた上で、メッセージ案を箇条書きで5つ出してください。

プロンプトコレクション4

個別メッセージを作成したいときⒷ

You

プロンプト④
5つの箇条書き案のうち、○番目を採用します。
このメッセージと下記#基本情報を組み合わせて一つのビジネス用のメール文章を作成してください。

#基本情報
商材概要 :【入力する】
役職 :【入力する】
想定されるメインミッション :【入力する】
氏名 :【入力する】

プロンプト⑤
このメールを受け取った相手のリアクションを悲観的に想定し、箇条書きでアウトプットしてください。

プロンプト⑥
上記を踏まえ、本文に入れるべき言葉や言い回しを再考し、メール文を作成してください。

プロンプトコレクション5

商談事前準備をしたいときⒶ

You

プロンプト①

○○業界の収益構造と利益構造について教えてください。具体的には、以下の点について詳しく知りたいです。

1.主な収益源や料金体系

2.それぞれの収益源や料金体系における構造

3.顧客や利用者がそれぞれの収益源や料金体系に対して感じるメリットやデメリット

プロンプト②

あなたは○○業界の△△部長です。

この度□□についてのサービスを導入しようと考えていますが数ある企業の中からなかなか選びにくいと考えています。そこでどんな側面を重視したらいいのかを一緒に考えてほしいです。

例えば価格や機能サポートなど大事な点がいくつかあると思っていますがそれぞれの重要度を教えて欲しいです。また観点としてはこの他にもあれば教えて欲しいです。

プロンプトコレクション6

商談事前準備をしたいときⒷ

You

プロンプト③

営業の専門家としてふるまい、下記の#詳細情報を基に、商談を行った際の想定質問とその理由を教えてください。

#詳細情報
-会社概要：創業年、業界、主要製品やサービスなど
A社(自社)：
B社(顧客)：
B社(顧客)のタイプや思考性：

-市場状況：【市場の動向、競合他社の動き、業界のトレンドなどを入力】
-製品/サービス情報：【サービスの特徴や実績・他社との違いを入力】
-その他の情報：【外部からの評価、ニュース、報道などを入力】

プロンプトコレクション7

ロープレ題材を作成したいとき

You

営業ロールプレイングの顧客となる人物像を設定してください。

#目的
営業ロープレに使用するペルソナ作

#前提条件
営業ロープレを通じて、実際の営業活動での成果向上に取り組んでいます。

#企業情報
A社(自社)：□□サービスを提供する○○企業
B社(顧客)：下記にて設定 企業はどちらも日本企業です。

#ロール
あなたは、営業の専門家です。営業ロールプレイングを専門に20年のキャリアがあります。

#制約条件
下記フォーマットに沿って作成してください
・資本金
・事業内容
・ビジョン
・商材情報

#成果物

プロンプトコレクション8

架電内容を要約したいとき

You

架電内容の要約をお願いします。
以下の条件や制約を考慮した上で、フォーマットに沿って記載してください。

#条件
・箇条書きで記載
・体言止め
・フォーマットに沿って記載をお願いします
・ネクストアクションは主語を明確に。誰がいつまでに、何をするべきなのかを端的に記載してください
・中学2年生でも分かるように記載してください

#制約条件
・文字数は1文30文字以内
・ヒアリングできていない項目は、空白でお願いします

#フォーマット
・結論
・ネクストアクション
・予算
・サービス選びの軸
・開始時期

引用元・参考文献

・文化庁「著作権法の一部を改正する法律（平成30年法律第30号）について」
・文化庁「令和5年度著作権セミナー『AIと著作権』」
株式会社セレブリックス コラム「Sales is」より
・営業職が1番最初に読むべき生成AIの活用方法（https://www.eigyoh.com/column/sales-ai-237）
・生成AIは営業をスマートにするのか？（https://www.eigyoh.com/column/ai-sales-239）
・生成AIを活用した営業スタイル「インテリジェントセールスプロセス」とは？（https://www.eigyoh.com/column/ai-intelligentsales-238）
・営業マネージャーのための生成AI活用3原則（https://www.eigyoh.com/column/ai-salesmanager-237）
・営業業務を効率化せよ！ChatGPT初心者でも今すぐ使えるコツ16選（https://www.eigyoh.com/column/chatgpt-sales-241）
株式会社セレブリックス「営業総合研究所の調査レポート」より
・職種別営業スキルの調査レポート
・営業における生成AI活用の実態調査レポート
『Sales is 科学的に「成果をコントロールする」営業術』（今井晶也、扶桑社）
『お客様が教えてくれた「されたい」営業』（今井晶也、フォレスト出版）

読者特典

本書で紹介した〈プロンプトコレクション〉をプレゼント！

本書をご購入いただいた方のために
「実践付録」にて紹介した〈プロンプトコレクション〉の
テキストをプレゼントします。
ターゲティング、ペルソナ整理、個別メッセージ作成、
商談準備、ロープレ準備、架電内容の要約といった作業の時に
役立つ内容をPDFファイル形式にてまとめました。
こちらのファイルの入手には
翔泳社の会員登録（無料）が必要です。

『The Intelligent Sales』特典データダウンロードページ

https://www.shoeisha.co.jp/book/present/9784798186436

※「翔泳社の本」のホームページから、書名の一部を入力して検索しても簡単に見つかります。
※ 読者特典を入手するには、無料の会員登録が必要です。画面にしたがって必要事項を入力してください。すでに翔泳社の会員登録がお済みの方(SHOEISHAiDをお持ちの方)は、新規登録は不要です。
※ 付属特典データおよび特典データのファイルは圧縮されています。ダウンロードしたファイルをダブルクリックすると、ファイルが解凍され、利用いただけます。
※ 付属データおよび特典データに関する権利は著者および株式会社翔泳社が所有しています。許可なく配布したり、Webサイトに転載することはできません。
※ データの提供は予告なく終了することがあります。あらかじめご了承ください。

本書内容に関するお問い合わせについて

このたびは翔泳社の書籍をお買い上げいただき、誠にありがとうございます。弊社では、読者の皆様からのお問い合わせに適切に対応させていただくため、以下のガイドラインへのご協力をお願い致しております。下記項目をお読みいただき、手順に従ってお問い合わせください。

●ご質問される前に

弊社Webサイトの「正誤表」をご参照ください。これまでに判明した正誤や追加情報を掲載しています。

正誤表　https://www.shoeisha.co.jp/book/errata/

●ご質問方法

弊社Webサイトの「書籍に関するお問い合わせ」をご利用ください。

書籍に関するお問い合わせ　https://www.shoeisha.co.jp/book/qa/

インターネットをご利用でない場合は、FAXまたは郵便にて、下記“翔泳社 愛読者サービスセンター”までお問い合わせください。

電話でのご質問は、お受けしておりません。

●回答について

回答は、ご質問いただいた手段によってご返事申し上げます。ご質問の内容によっては、回答に数日ないしはそれ以上の期間を要する場合があります。

●ご質問に際してのご注意

本書の対象を超えるもの、記述個所を特定されないもの、また読者固有の環境に起因するご質問等にはお答えできませんので、予めご了承ください。

●郵便物送付先およびFAX番号

送付先住所	〒160-0006　東京都新宿区舟町 5
FAX番号	03-5362-3818
宛先	（株）翔泳社 愛読者サービスセンター

※本書の出版にあたっては正確な記述につとめましたが、著者や出版社などのいずれも、本書の内容に対してなんらかの保証をするものではなく、内容やサンプルに基づくいかなる運用結果に関してもいっさいの責任を負いません。